新世紀

第 307 号（2020 年 7 月）

The Communist

帝国主義打倒！
　スターリン主義打倒！
　　万国の労働者団結せよ！

2020年7月 №.307 目次

特集 **新型コロナ禍 反安倍政権の炎を**

新世紀

日本革命的共産主義者同盟 革命的マルクス主義派 機関誌

貧窮人民を見殺しにする安倍政権を打倒せよ

二〇二〇年五月四日、安倍政権は、四月七日に発した「緊急事態宣言」の実施期間を五月三十一日まで延長することを発表した。

専門家会議からわずか五時間後にプロンプターを見つめながら宣言を棒読みする首相・安倍晋三の・小さなアベノマスクでは隠しきれないその表情は、明らかに判断喪失者のそれである。

いうまでもなく専門家会議は、座長・脇田隆字ら国立感染症研究所の研究者や副座長・尾身茂ら元厚生労働省医系技官を主要な構成実体とする集まりである。尾身らは、「緊急事態宣言」にもとづく「外出自粛・休業要請」によっていま現出している日本の労働者・学生・人民の窮状については無頓着である。それだけでなく彼らは、臨床医師・検査技師・看護師などの医療現場で新型コロナウイルスと命がけでたたかっている医療従事者からも完全に浮きあがっている。ところが、もっぱらこの専門家会議の、とりわけそのスポークスマンたる副座長・尾身の、なんの苦渋の色もない「長期戦を覚悟して新しい生活様式を楽しんでください」などという提言をなぞるかのように、安倍みずからもまた「コロナ時代の新しい生活」なるものをつぶやいたのだ。

　自宅で愛犬を抱きながら高級ブランドのカップで紅茶を飲む動画をSNSで流し、そのうえ「このように過ごすことが医療従事者の助けになります」などとほざくバカ首相・安倍。苦悩する人民を愚弄することしかできない安倍とその政権は、労働者・人民の激しい怒りを買い、まさにダッチロール状態に突入している。この安倍政権が発した生活の全面補償のない「外出自粛・休業要請」の継続によって、いま日本中で職を失い今日を生きられない人々が、昨日も今日も生みだされているのだ。

労働者・人民をさらなる窮状に追いこむ経済対策

　四月七日以来の「緊急事態宣言」にもとづく「外出自粛・休業要請」とその継続によって、おびただしい労働者・人民が貧窮のどん底に突きおとされている。この現実は、「緊急事態宣言」の発令と同時に安倍政権がうちだした「緊急経済対策」なるものの反人民性を誰の目にも明らかにしているのだ。

　当初、安倍が「事業規模一〇八兆円」「世界最大級」などと自画自賛しつつうちだした「緊急経済対策」なるもの――その内実は、金融機関による融資など民間が拠出すると見込んだ資金四二兆円、後から支払いを求める納税や社会保険料の猶予分二六兆円などを足しあげて水増しした、詐欺同然のものであった。新型コロナウイルス対策として国が新たに支出する金額は一六・八兆円、そのうち現金給付分は六兆円にすぎない。一〇八兆円のうち実に七割以上が、労働者・人民の生活補償とも医療支援とも無縁な完全な水増し分で占められていたのだ。

　安倍が「緊急経済対策」の目玉としておしだしたのが「収入が激減した世帯への三〇万円の現金給付」であった。「カネが回らないことが問題なんでしょ。カネを渡したってタンスにしまわれるだけだから……」とうそぶく財務相・麻生太郎に指南されてうちだしたこの案は、きわめて厳しい条件をつけて支給対象を全世帯の二割にまで絞りこむというものであった。しかも支給はたったの一回、その時期は夏ごろという「今日・明日をどう生きるか」という労働者・人民の窮状からあまりにもかけ離れたこの案は、当然にもわが同盟と労働者・人民の怒りに満ちた批判にさらされ、粉砕された。こうして安倍は、今度は「現金一〇万円を一律に・一回だけ給付する」という、職を失った者にとっては一時しのぎにしかならない案に転換した。

また安倍が「失業対策」としてうちだした「雇用調整助成金の拡充」なるものは、休業を命じられた労働者に直接支給するものではなく、助成金を申請した企業にたいして労働者の休業手当に充当するものとして支給するというものにすぎない。しかもこの助成金の上限は一人当たり一日八三三〇円（東京都の最低賃金の八時間分）までとされた。この上限以上は企業の負担となるがゆえに、資本家のほとんどは助成金を申請しようとはしない。事実、五月はじめの時点で申請数はわずか二五四一件、支給が決まったのはたったの二八二件でしかない。彼ら資本家どもは、労働者を無給で休ませた挙げ句に解雇・雇い止めにしているのだ。

さらに安倍政権は、「持続化給付金」として「個人事業主とフリーランスに上限一〇〇万円、中小企業に上限二〇〇万円の給付金を支給する」とした。売り上げや収入が前年比で半減した事業者のみを対象に、たった一回きり支給するというのだ。「休業要請した小規模事業者に個別に補償するのは現実的ではない」とうそぶいたのが安倍であったが、「外出自粛・休業要請」によって先の見えない窮地に追いこまれている自営業者や、明日の資金繰りと従業員の給料支払いに困窮している中小・零細事業者にたいして、何ヵ月先に給付されるか分からない少額の「給付金」なるものを提示することは、逆に彼らをして深い失望・絶望に追いやり、廃業や倒産を加速することでしかないのだ。

パンデミックのもとでヒトとモノの国境を越えた移動が遮断されると同時に、国家権力が感染爆発を防ぐために外出自粛と休業を強制し、そうすることによって生みだされている経済的破局。この〈パンデミック恐慌＞というべき未曽有の世界史的事態のもとで、いま日本の独占ブルジョアどもは、「不採算」とみなした部門の休業・廃止を強行し、数多の労働者の首切り攻撃にうって出ている。自動車大手企業や鉄鋼大手企業の独占資本家どもは、生産ラインや高炉の一部を停止するとともに、何万人もの労働者に首切り・配転・一時帰休・賃金カットを強制している。彼らは、一切の犠牲を労働者に転嫁して資本の生き残りに狂奔しているのだ。

全学連が首相官邸（写真右奥）に怒りの拳（20年5月8日）

そしてこれら製造業の下請けの中小・零細企業や観光業・飲食業・商業などの諸企業の経営者もまた、雇用してきた労働者にたいする解雇・雇い止め・賃下げの攻撃をかけている。一挙に無収入や減収になった労働者は「どうやって食っていくのか」という絶望の淵に投げこまれているのだ。派遣労働者や「個人請負」やフリーランスの労働者、そして「技能実習生」やアルバイトとして働いてきた外国人労働者たちは、失業手当などの一切の補償もないままに、家賃や水光熱費も払えず今日・明日の食費にも事欠いている。住居を失いネットカフェで起居していた失業者は、その「住居」も閉鎖され今まさに路上生活を強いられようとしているのだ。

他面同時に、新型コロナウイルス感染の拡大のもとで、ますます必要とされるサービス提供の担い手——医療機関や保健所・検査機関や介護事業所で働く労働者や、物流や公共交通機関や郵便配達・預貯金業務に携わる労働者——これらの労働者にたいしては、従来にも増して長時間超強度の労働が強制されている。政府・厚労省は、「新型コロナウイルスの感染対策」については三六協定の「臨時的な特別の事情」に当たるので医療や介護の労働者は限度時間を超えて働かせてよいというお墨付きを、経営者どもに与えている。この事実上労働時間の規制なしという政府の指示を盾にして、医療・介護の事業所経営者どもは、感染の危険にさいなまれながら奮闘している労働者にたいして、過酷な長時間労働を強制しているのだ。

教育労働者もまた、安倍の朝令暮改の「全国一斉休校」要請やその解除などのゆえに、すさまじい労働強化を強いられている。授業カリキュラムの組み替えやオンライン授業、そして徹底した感染対策などが、教育労働者に次々に強制されているのである。

こうしていま巷には、大企業や中小・零細企業から解雇され職を失った労働者や、仕事も収入も失った個人事業者があふれている。生活困窮者を支援するＮＰＯや弁護士や労働組合には、多くの労働者からの相談が殺到している。彼らの三人に一人は、手持ちの現金が三〇〇円、五〇〇円しかなく、食べるものもないという。無収入となったあるシングルマザーは「公園で草を取ってきて食料にした」と言っているほどなのだ。だが彼らに一律一〇万円の給付金はなお届いてはいない。彼らに生活保護をすすめても、役所の窓口に行く交通費すらないという。

これらのすべては、安倍政権の困窮人民見殺しの政策がもたらしたものなのだ。

今、安倍政権は労働者・学生・人民の怨嗟と怒りの声に包囲されている。人民は生活補償・家賃補償・学生支援などの要求を安倍政権につきつけている。だがこれにたいしても安倍は、「緊急事態をいつ終わらせられるか専門家会議のご意見をきいてから……」（国会で野党質問にたいして）などとしどろもどろに答えるのみなのだ。

安倍政権の「緊急経済対策」なるものは、日本の労働者・学生・人民を困窮の淵に叩きこみ餓死線上に追いやるものにほかならない。それはまさに安倍政権が、日本独占資本の延命にのみ血道をあげているからにほかならない。

安倍政権のつくった二〇二〇年度の本予算には、新型コロナ対策費は一円も計上されていなかった。すでにWHO（世界保健機関）が遅まきながらも「パンデミック」を宣言し、日本でも感染がどんどん広がっていたにもかかわらず、コロナのコの字も入っていない予算案を延々と議論していたのだ。

それは、安倍のアタマには、東京オリンピック・パラリンピックが中止になってしまうのか、それとも延期にできるか、ということしかなかったからであり、また一ヵ月ほどでコロナ危機は収束するとタカをくくっていたからなのである。

そもそも安倍は、このかん改憲などの安倍自身がこだわる政策だけはNSC（国家安全保障会議）主導で強引にすすめる反面、おのれが無知な・あるいは関心の薄い諸政策についてはみずからのとりまきに丸投げにしてきた。特に最近では、側近の首相秘書官である今井尚哉と佐伯耕三を重用してきたという（このゆえに官房長官・菅義偉らNSCの閣僚どもとの関係もギクシャクしている）。かの「三ミス」――アベノマスクと三〇万円給付と「自宅でくつろごう」動画――もこれら軽佻浮薄の秘書官の入れ知恵という。まさに側近頼みの〝脳死首相〟の浅はかきわまれり！

「改正新型インフルエンザ等対策特別措置法」の中に「非常事態宣言」を盛りこむことにのみ腐心していた安倍。そして経済対策については補正予算で対応すればよいとした安倍。この安倍政権がうちだした「緊急経済対策」とは、経団連の「新型コロナ対策緊急提言」（三月三十日公表）を忠実になぞったものにすぎない。すなわち、①「緊急事態宣言」を出す場合には過度に経済が萎縮しないようにすること、②財政支援の対象は「真に困窮した就業者・事業者」に絞ること、③「デジタル化・リモート化のための投資」＝ICT（情報通信技術）分野における巨大事業を一気に促進すること、がそれである。要するに、すべては感染収束後の「経済のV字回復」すなわち独占資本のためのそれなのである。

「緊急経済対策」の「観光支援・消費喚起策」と称して、感染が収束した後に国民に消費を促すために、旅行や飲食を楽しむクーポン券を配るといった「Ｇｏ Ｔｏ キャンペーン」や「国立公園満喫プロジェクト」などに一・七兆円ものカネを投じたのが安倍である。この男のうちだす政策には、大独占資本のみを救済し、労働者・人民を踏みつけにする反人民性があらわとなっているのだ。

感染拡大を引き起こした政府・厚労省

日本でのＰＣＲ検査（ウイルス遺伝子検査）の件数が諸外国に比してケタちがいに少なく、安倍が自己保身にかられて「一日二万件に増やす」と宣言して以降もこんにちまでいっこうに増えていないこと――このことを追及された安倍は、「人的に目詰まりを起こしているようだ」などと答えたのであった。

「人的目詰まり」だと！ ふざけるのもいい加減にしろ！ 安倍はこの期におよんで、みずからの責任を棚に上げて、「帰国者・接触者相談センター」を担う保健所の職員や検体をとる医師、検体を処理する検査センター職員らに責任をなすりつけようというのだ。

だが、ＰＣＲ検査が少ないままであるのも、新型コロナ感染が疑われる患者の受診や入退院が滞っているのも、その一切の責任は安倍政権にある。

安倍らは、日本は新型コロナウイルスの感染については「たいしたことにはならない」とタカをくくってきた。ウイルスの遺伝子検査の体制が諸外国に比して脆弱であること、感染症に対応する病床やＩＣＵ（集中治療室）も少ないことは、はじめから分かっていたことであった。「クラスター対策班」が検査のキャパシティ（容量）の乏しい日本に独自の方法として〝クラスターつぶし〟をおこない「感染爆発」をくいとめているあいだに、検査体制の充実や医療体制の整備（重症・中等症・軽症などの患者の振り分け、病床や宿泊所の準備など）をはかるのが、政府の役割のはずであった。

厚労省が作成している「新型インフルエンザ等対策ガイドライン」によれば、WHOが「PHEIC（国際的に懸念される公衆衛生上の緊急事態）」を宣言したならば、WHOの加盟国である日本はただちに首相とすべての大臣からなる対策本部を設置するとともに保健所を中心とした地域医療体制・病院での診療体制・検査力の強化をはからなければならない、とされている。

だが安倍政権は、これらをまったく怠ったのだ。

安倍政権は、「帰国者・接触者相談センター」に相談窓口を一本化したままで、感染を心配する人が市中のかかりつけ医に相談して必要な人はPCR検査を受けるという体制を、政府が率先して整えようとはしなかった。まさにこのゆえに、いま保健所の労働者たちは、土・日も働くという苛酷な労働を強いられている。

そもそも感染爆発を「想定外」として感染症対策を軽視してきた一九九〇年代いこうの歴代自民党政権によって、保健所の数は半減させられた。しかもその機能も、いわば福祉を担うようなものへと変えられ、保健所は感染症はおろか公衆衛生を担えないものへと変貌させられてきてしまっているのだ。

まさにこうしたなかで、保健所の労働者たちは、電話相談、PCR検査の受け付け、検体の搬送、そして陽性患者の行動の聞き取りなどに奔走しているのだ。

また検査体制にしても、当初は国立感染症研究所や地方の衛生研究所に試薬などを独占させ、民間の検査センターや大学病院・大学研究施設などの協力のもとに検査体制の構築をはかろうとしなかったのが、政府・厚労省なのだ。そればかりか、感染症疑いの患者から検体を採取する医師をどのように確保するか、重症患者のための病床をどのように確保するかについても、政府・厚労省は医療の現場に丸投げしてきたのだ。マスクや防護服や綿棒さえもがないことを訴える医師たち・看護師たちの声にまったく耳を貸してこなかったのが、安倍政権なのだ。

不足する医療物資の投入もせず人員の補充もせず、政府の補正予算においては医療体制の整備にあてる交付金は一四九〇億円のみだ。現場の窮状を放置したままで、「検査を二万件にする」などと号令だけを発し、あまつさえ検査の数が増えないことを批判されるや「人的目詰まりがあったようだ」などとホザくのは、「人でなし」の冷血漢のみがなしうる所業ではないか！

さらに、「三七・五度以上の発熱が四日以上」というこれまで政府・厚労省が示してきた「受診目安」のゆえに、手遅れとなる死者・患者が続出した。保身にかられた安倍政権は、「三七・五度以上」という「目安」を突如として削除した(五月八日)。これについて厚労相・加藤勝信は「目安を基準と誤解されてしまった」などと言い放ったのだ。どこまでも感染拡大の責任を医師や保健師、人民になすりつけようとする、これほど鉄面皮で破廉恥な政権があろうか！

今こそ安倍ネオ・ファシスト政権打倒に決起せよ！

もはや明らかではないか――安倍政権こそは、日本に新型コロナウイルスの感染拡大をもたらし、かつ労働者・人民を貧窮のどん底に突きおとしているその張本人であることが！

この安倍政権はいま、人民の塗炭の苦しみをよそに、現下の危機を政治的に利用して、憲法改悪にこぎつけようと血眼になっている。安倍は、五月三日の憲法記念日に、改憲派のネット集会にビデオ・メッセージを寄せ、そこでコロナ対策としての「緊急事態宣言」と安倍式改憲の目玉の一つとしての「緊急事態条項」の創設とを牽強付会に結びつけて、改憲の必要性をわめきたてた。さらに、新型コロナへの対応における自衛隊の活躍なるものを捏造しつつ、憲法第九条の破棄をわめいたのだ。コロナ対策などそっちのけで、改憲に道を開くことに狂奔しているのが安倍なのだ。

労働者・人民を困窮の極みに追いやりながら、みずからが引き起こした感染拡大の危機を居直るだけでなく、逆にこの危機に隠れて森友・加計疑獄や「桜ゲート」やカジノ疑獄などを闇に葬ることを策して安倍子飼いの東京高検検事長・黒川弘務を検事総長の座につけ・ひいては検察をNSCの意のままに動かしていくために検察庁法改定を強行しようとしたり、この危機を利用して憲法改悪への道をこじあけようとしたりしてあがいている断末魔の安倍政権。われわれは、いまこそこの安倍ネオ・ファシスト政権を労働者・学生・人民の総力を結集して打倒しなければならない。

いま安倍日本型ネオ・ファシズム政権は、「ウイルスとの戦いに勝つために心を一つにして頑張ろう」などと叫び、「国家のもとへの献身」を鼓吹している。また同時に、トランプ政権に唱和して、「反中国」の民族排外主義を陰に陽に煽りたてている。そしてこうした政府の広報班の役割をつとめているのがマスコミであって、とくにＮＨＫは、一方では「保健所にそっけない対応をされた」とか「病院をタライ回しされた」とかの報道をしきりと流し、他方では芸能人を使って「ステイ・ホームで医療従事者を支えよう」などと宣伝し、そうすることによって政府の〝失政〟を免罪しているのだ。まさにこれらのゆえに、いま日本では医療従事者へのバッシングや店を開いている者への「自粛警察」なるものによる脅迫などが吹き荒れているのだ。

われわれはネオ・ファシズム支配体制を強化するためのこうした一切のイデオロギー攻撃をもうち破り、今こそ労働者・人民の断固たる反撃を組織しなければならない。

だが、リーマン・ショックの時に比してもはるかに大量の失業者が巷にあふれようとしているにもかかわらず、既成労組指導部どもは、反撃の闘いを呼びかけてはいない。「いま食べるものがない」「どうしていいかわからない」という切実きわまりない相談が労組やＮＰＯの相談窓口に寄せられているなかで、労組の一部専従や労働弁護団に電話相談に応じさせることに労組の一切の取り組みを解消してしまっているのが、「連合」労働貴族なのである。「全労連」日本共産党系指導部もまた、安倍政権の経済政策を非難し「医療や介護への支援」を政府に要請しているだけで、今こそ労働組合の団結を強化してたたかおうということを呼びかけてはいないのである。

だが、多くの労働者が路頭に放りだされている今日ほど労働組合の力を発揮しなければならないときはない。

わが革命的・戦闘的労働者は、既成労組指導部の統制を突き破り、職場生産点から∧首切り・雇い止め・賃金切り下げ反対∨∧独占資本救済に血道をあげる安倍政権弾劾∨の闘いをつくりだすために奮闘しようではないか！

安倍政権と都道府県当局が「感染対策」を叫んで集会規制をおこない、資本家どももまた労働者にたいして「会食禁止」「集まるな」などと労働組合の活動を規制しようとしているなかにあって、すべての労働者は団結してこれをはね返し、労働組合を主体にして断固としてたたかおうではないか！

わが全学連の仲間たちは今、全国各地で、困窮する学生を見殺しにする安倍政権にたいする断固たる闘いにたちあがっている。

いま学生たちは、親の失業・廃業のゆえに、そして自分のアルバイト収入を断たれたことのゆえに、四人に一人が休学・退学を考えざるをえなくなっている。だが政府・文部科学省は、困窮する学生への直接給付はおろか、授業料減免さえもおこなおうとはしていない。政府はこの四月から、「新型コロナウイルスに関連して家計が急変した場合にも利用できる制度」として「給付型奨学金を支給する修学支援制度」をうちだしはした。だがそれは、「住民税非課税世帯もしくはこれに準ずる世帯」というように利用要件を極度に厳しく定めたものなのであって、困窮する学生の多くを切り捨てたものなのだ。かの補正予算のうち、「家計が急変した学生への支援」なるものはたったの七億円でしかない。

そのくせ政府は、大学生活を続けたいという学生の切実な思いにつけこんで、卒業後に自衛官になれば学費を肩代わりする「貸費学生制度」を従来の理系三、四年生から文系学生へ・そして一年生にまで拡大しようとしている。これほど卑劣な「経済的徴兵」があるだろうか。

全国の学生は、全学連の仲間とスクラムを組み、「学生生活を諦める学生を一人も出すな」を合い言葉に、安倍政権にたいして困窮する学生への直接支援と学費無償化とを要求して、断固としてたたかおうではないか！

パンデミックのもとでいっそう拡大する富める者と貧しき者の〝格差〟とは、まさしく搾取する者と搾取される者との対立にほかならない。この資本家と労働者の階級対立が、いわゆるコロナ危機のなかで、むきだしの姿をあらわにしているのだ。

すべての労働者諸君！　〈パンデミック恐慌〉ののりきりのために、資本家どもがなりふりかまわず一切の犠牲を労働者に転嫁している今日このときこそ、労働者階級の階級的団結をうちかため断固たる反撃にうって出ようではないか！

安倍政権の生活補償なき「緊急事態」の継続に断固反対せよ！

パンデミックを利用した憲法改悪を絶対に阻止せよ！

すべての労働者・学生・人民は、今こそ安倍政権打倒に決起せよ！

新型コロナウイルス出生の闇

蔵　前　明

中国湖北省の衛生健康委員会が原因不明の肺炎の集団発生をＷＨＯ（世界保健機関）に報告し公表したのは二〇一九年十二月三十一日のことであった。そのわずか一週間後の二〇年一月七日には、患者の咽頭ぬぐい液のサンプルから中国疾病対策センター（中国版ＣＤＣ）が、これまで知られていない新たなタイプのコロナウイルスを検出しその全遺伝子配列を同定しWHOに報告したのであった。その後、この新型コロナウイルス（SARS―COV―2）はグローバルな経済活動・人間の移動にともない、またたく間に全世界に拡散し、いまやパンデミック（世界的流行）の様相を呈している。

新型のウイルス性肺炎の患者の多くが湖北省武漢市の華南海鮮卸売市場に出入りしていたこと、そしてこの市場では海産物の他に多くの野生動物（シカ、タケネズミ、ハクビシンなど）が売られていたことのゆえに、新型ウイルスは始めに野生動物から人間に感染し次いで人間集団間での感染性を獲得したというのが、中国当局およびWHOの公式見解である。人間への感染を媒介した野生動物の候補として当初コウモリが有力視されていた。

しかしながら、その後の疫学データやウイルスの遺伝子解析により、この公式見解は揺らいでいる。一月二十四日付けのイギリス医学雑誌『ランセット』に発表された武漢の最初の新型肺炎患者集団四十一名についての報告論文では、海鮮市場に出入りしていたのは四十一名中二十七名（六六％）であり、一九年十二月一日に発生した第一例目の患者は海鮮市場には出入りしていなかったことが明らかにされている。ウイルスの遺伝子解析では新型コロナウイルスはSARS（二〇〇二～〇三年）やMERS（一二～一三年）のコロナウイルスとも異なり、ウイルス系統としては一五～一七年に中国浙江省舟山市で捕獲されたキクガシラコウモリから発見されたウイルスに最も近いとされている。浙江省は湖北省とは遠く離れているうえに、新型肺炎のアウトブレイク（流行）が最初に報告された一九年十二月末の時期はこのコウモリの冬眠期にあたり、武漢の海鮮市場でも当時売られていなかったことが報告されている。したがって、新型コロナウイルスはコウモリから直接人間に感染したのではなく、別の野生動物を媒介し・いまだ発見されていない経路をつうじて人間に感染したというのが、現段階の中国当局公認の見解である。

他方、複数のジャーナリストによってインターネット上で推論として語られているのが、今回の新型ウイルスが武漢の華南海鮮卸売市場からわずか二八〇メートルの位置にある武漢疾病予防管理センターの研究室の実験動物のずさんな廃棄処分によって漏れ出たという説である。〝そのような情報は「流言・虚偽」であり中国現地の医療従事者・科学者を先頭とした科学的エビデンス(根拠)にもとづいたウイルスとの闘いの団結を阻害するものだ〟とするアメリカの科学者ら二十七名の有志の共同声明が出されてもいる。

国家戦略に組みこまれた中国のウイルス研究

一九年十二月初旬の最初の数例の新型肺炎発生時に情報統制を敷いた中国当局は、現在一転して〝ウイルスとの闘いの国際共同戦線〟の先頭に立っているかのように厚かましくもふるまっている。患者情報の収集・分析、ウイルスの遺伝子解析や検出試薬の開発などは中国の独壇場となっている。新型肺炎発生のＷＨＯへの報告から原因ウイルスの同定・公表までの期間がわずか一週間と異例のスピードであったことと合わせると、そもそもこのウイルスが中国当局による人為的被造物であるとの推論も十分成立すると、われわれは考える。

没落帝国主義アメリカと経済的・軍事的角逐をくりひろげているネオ・スターリン主義中国は、アメリカの「知的財産」を盗みとりながら高度先端医療技術の分野においても猛スピードでアメリカを追いあげてきた。〇二年二月には、アメリカのＣＤＣ(疾病対策センター)を模倣して中国版ＣＤＣを立ち上げ、その指揮下で武漢ウイルス研究所や武漢疾病予防管理センターを拠点として「新興感染症対策」の名目のもとに全世界の病原性ウイルス株の収集と遺伝子工学などを駆使した研究をおこなってきたのである。

アメリカ帝国主義を追い抜き世界の覇権を握らんとしている中国ネオ・スターリニスト官僚の国家戦略に組みこまれた反人民的な科学技術開発・ウイルス研究の暗闇を、われわれは中国現地の医療労働者とも団結して暴いていかなければならない。

（二〇二〇年三月八日）

〈パンデミック恐慌〉下での労働者人民への犠牲強制を許すな

新型コロナウイルスのパンデミックによって、いま世界で、七二万人の人民が感染し、すでに三万四〇〇〇人もの命が奪われた（二〇二〇年三月三十日現在）。中国（武漢）を震源地として始まったこのウイルス感染は、アメリカにおいて、イタリア・スペイン・フランス・ドイツなどの欧州において、さらに爆発的に拡大しつづけている（三十日現在で、アメリカでは感染者一四万人・死者二五〇〇人、イタリアでは感染者一〇万人・死者一万一〇〇〇人）。そして東南アジア、中東、インド、南米、アフリカなどの世界全域に急速にひろがろうとしている。医療機関もなく衛生状況も劣悪で十分な栄養をとれていないアフリカなどの途上諸国に感染が拡大するならば、夥しい人民が死に追いやられることになるのだ。

こうした新型コロナのパンデミックにたいして、アメリカ、欧州諸国、インドをはじめとする世界の権力者たちは、中国に続くかたちで国境閉鎖や都市封鎖を次々におこなっている。こうした国境封鎖・

都市封鎖によって「ヒト・モノ・カネの自由な移動」はストップし、サプライチェーンはズタズタにされている。ほとんどの国で商業、サービス業、運輸業、製造業などのあらゆる産業で経済活動がストップした。工業用の部品、食糧、衣料、医療用品にいたるまですべての物流も停止され、労働者の移動も止められた。世界各国で同時的にモノの移動と生産活動が完全に凍りついたこの事態は――たとえ金融不安を発火点とした恐慌ではないとしても――大恐慌と同様の経済的破局の現出であり、しかも現下の実態経済の凍りつきは逆に金融破綻へと連鎖していくにちがいないのであって、まさしく世界はパンデミックと恐慌とが相乗する〈パンデミック恐慌〉へと突入したといわなくてはならない。

こうした経済的破局のなかでアメリカ、欧州、日本などの諸国家の独占資本家どもは、まさにおのれの生き残りのために、労働者にたいする大量首切り、雇い止め、賃金切り下げの攻撃をいっせいにふりおろしている。解雇された多くの失業者が、世界中で路頭に投げだされている。まさに世界各地で人民が次々と命を落としているという全人類的危機のなかで、各国の資本家階級は独占資本の延命のためにのみ血道をあげ、一切の犠牲を労働者階級・人民に強制しているのだ。

アメリカでは、三月二十一日までの一週間で失業保険給付申請者数が前の週の十倍に増え三二八万件となった。それだけではない。このアメリカには国民皆保険制度が存在しないがゆえに、カネを持っていない貧しき人民（黒人、ヒスパニック、プアホワイト）は、病院にかかることができない。検査をうけて陽性反応がでたとしても高額な医療費が払えないのだ。こうして貧しき感染者から貧しき者へと新たな感染が連鎖的にひろがり、多くの命が奪われているのである。

いま全世界において、パンデミックによる感染の拡大と恐慌の相乗的な進行のもとで、各国政府・資本家が労働者・人民に犠牲を強要し、そうすることによって人民のなかに感染が爆発的にひろがり・多くの人民が刻一刻と死に追いやられ奈落に突き落とされているのだ。

この世界史的な危機的事態のなかで、われわれは全世界の労働者・人民に呼びかける。世界各国の労働者・人民と国境を越え階級的な団結を創造しつつ、政府・資本家による一切の犠牲転嫁に断固反対してたたかおう！

全世界のすべての労働者・人民は、自国政府の棄民政策を弾劾し、失業者や困窮家庭への生活支援をただちにおこなうことを強く迫れ！　労働者・人民を奈落に沈める資本家どもに断固とした闘いを叩きつけよ！

全世界の労働者・人民は、この未曽有の危機を突破するために力を合わせて奮闘しようではないか！

新型コロナ対策で反人民性をむきだしにする安倍政権を許すな

日本においても、東京や大阪などの大都市圏を中心としてウイルス感染が拡大しつづけ、クルーズ船を合わせて感染者二六〇〇人・死者六十人を超えた（三月三十日現在）。

こうした状況のなかで、首相・安倍晋三は、三月二十八日の記者会見において、「爆発的な感染拡大の発生」を避けるために、「外出自粛要請」をだした東京都などの地方自治体との「連携」をはかること、「密閉・密集・密接」の「三密」を避けることなどを呼びかけた。だがしかし、感染者の急速な拡大が目前に迫っているにもかかわらず、公的資金を投入して医療体制を拡充したり・不足する医療物資の緊急供給などを実施することなどの具体策については、何ひとつ明らかにしなかったのだ。

もとより、これまで安倍政権は、まったくおざなりな感染症対策を場当たり主義・ご都合主義的にくりかえしてきただけであり、これによって事態の悪化を招いてきた。

国内で初の感染者が確認された一月十六日いらい、ＷＨＯ（世界保健機関）が「緊急事態」を宣言（一月三十日）しても、約一ヵ月にわたってなんらの対策らしい対策をとってこなかったのが安倍政権にほかならない。感染者が増えはじめたなかで、二月二十七日になって突如として・それも首相専断で、――保護者への休業補償をおこなうことも何ひとつ考えず――全国の小・中・高の「一律の休校要請」をおこなったのであった。しかも、こうした「休校要請」を発しても、感染者を確認するPCR検査（ウィルス遺伝子検査）の体制の拡充については、重い腰を上げなかったのが首相・安倍であった。それは、「東京五輪」が「中止」に追いこまれることだけは避けるために感染者数をあまり増やしたくないというネオ・ファシスト安倍の薄汚い魂胆のゆえなのである。

この安倍は、IOC（国際オリンピック委員会）から「東京五輪」の「延期」決定をひきだした途端に、――検査数のあまりの少なさへの諸外国からの非難の高まりにたいする自己保身にもかられて――従来の方針をなしくずし的に転換し、「患者にPCR検査を積極的にうけさせる」という方針を上意下達式に厚生労働省をつうじて医療機関に押しこみはじめた。だがそれは医療現場の実状にまったくふまえないものであった。こうした政府の指示によって、いま医療機関は混乱に突き落とされているのだ。

独占資本救済に狂奔する安倍政権弾劾！困窮する人民をただちに救援せよ！

それればかりではない。安倍政権がうちだしている「緊急経済対策」なるものは、ブルジョア階級性をむきだしにしたものなのだ。

安倍政権が検討している「支援策」なるものは、将来的に「コロナ危機」が終息した暁に「経済のV字回復」をはたすために、危機におちいった独占資本を救済するというものにほかならない。現在直下に困窮しているすべての労働者世帯にたいして、ただちにかつ直接に生活支援をおこなうものではならないのだ。

いま独占ブルジョアどもは、労働者にたいする大量首切り、雇い止め、賃金切り下げなどの攻撃をいっせいにうちおろしている。この独占ブルジョアどもにたいする救済にのみ血道をあげているのが、安倍政権にほかならない。

われわれは、政府・独占資本家による独占資本生き残りのための労働者・人民への一切の犠牲転嫁を断じて許してはならない。独占ブルジョアどもによる大量首切りを絶対に許すな。企業は、有期契約・派遣・個人請負労働者への一方的契約打ちきり＝首切りをやめよ。政府・独占資本家・「連合」指導部による春闘の破壊を弾劾し、すべての労働者は、〈大幅一律賃上げ〉をかちとるために最後までたたかおう！

日本の労働者・人民は、安倍政権にたいして、いまこそ怒りの声をあげ起ちあがらなければならない。政府は、困窮にたたきこまれた労働者・勤労人民にたいする生活補償をただちにおこなえ。

政府は、失業に追いこまれた非正規や個人請負の労働者にたいして直接・無条件の生活補償をただちにおこなえ。倒産の危機にたつ中小零細企業にたいして、「融資」＝借金を背負わせるのではなく、無償での援助を実施せよ。

生存の危機にあるすべての労働者・人民にたいする緊急支援を即時に実施せよ。五兆円を超える莫大な軍事費に血税を注ぎこむのをただちにやめよ。またトランプにたいして四・五倍増の米軍駐留経費を献上するのをすべてやめよ。

首相・安倍が、突然発した小・中・高の「一斉休校」要請にともなって、多くの児童の保護者は休業や失業に追いこまれた。安倍政権は、保護者の収入減を全額補償せよ！

われわれは、「〔税率を〕一度下げたら二度と上げられない」などとほざく安倍政権を弾劾し、消費税の撤廃をかちとろう！

コロナの感染拡大をくいとめるために、いま医療現場においては医療労働者が懸命に感染者にたいする治療にあたっている。教育現場においても、児童の感染を防ぐかたちで開校するために教育労働者や学校用務員などの労働者が日夜奮闘している。政府は、新型コロナ対策のために医療機関や福祉施設や学校に公的資金をただちに投入せよ。マスク、防護服、人工呼吸器などの必要な物資を供給せよ。

困窮のゆえに医療機関を受診することのできない労働者・人民をださないために、医療費自己負担や介護サービス利用料を無償化せよ。社会保険料・公共料金を即時に免除せよ！

ネオ・ファシズム支配体制の強化反対！改憲阻止！

いま同時に、安倍政権は、都市部を中心として感染者が増大する「オーバー・シュート」の危機の高まりのなかで、「緊急事態宣言」の発令に踏みだそうとしている。

安倍政権は、「感染爆発の危険」を回避するためには、首相が自治体の首長をつうじて「外出自粛の要請」や大規模施設や学校の「使用制限」などを「要請・指示」することができるこの「宣言」を発令する、などといっている。

だがしかし、警戒せよ！　こうした「宣言」の発令によって、同時に安倍政権は、労働者・人民の『基本的人権』を一方的に剥奪する権限やマスコミ統制をおこなう強権を手中に収めるとともに、「緊急事態条項」の創設を柱とする日本国憲法の大改悪への道を掃き清めようとしているのである。安倍がこうした「宣言」の発令に踏みだそうとしているのは、「一年後の五輪の実現によって自民党総裁四選をかちとり憲法改悪を実現する」といううす汚い願望の虜となっているからなのだ。

もとより、「緊急事態条項」を創設する日本国憲法の大改悪をみずからの手でなしとげるという野望を実現するために、WHOが「非常事態宣言」を発した後になっても、既存の「新型インフルエンザ等対策特別措置法」をそのまま適用するかたちでただちにウイルス対策を講じることを拒み、あくまでも新型肺炎を適用対象として加える法改定に固執し・それを強行さえしてきたのが、首相・安倍であったのだ。

安倍政権は、パンデミックのなかで、むしろこの〝国家の歴史的危機〟をも利用して憲法改悪への道をひらこうとしているのだ。議会制民主主義を最後的に破壊しつくし、首相に強権を一元的に集中した強権的＝軍事的支配体制の構築に狂奔するとともに、労働者の権利・民主主義的な諸権利の一切合切を奪いさることをこそたくらんでいるのである。

政府・権力者は、いま「コロナ危機」に乗じて、労働者・人民から「集会・結社の自由」を剥奪することを狙っている。彼らが一度奪ったものを労働者・人民にふたたび「付与」するなどということはありえないのであって、まさにそれはブルジョア民主主義の歴史的な終焉という重大な意味をもっているのだ。

すべての労働者・学生諸君！　われわれは、日本型ネオ・ファシズム支配体制を一段と強化し憲法改悪への道を掃き清めるという安倍政権の政治的な目論見を満天下に暴露しつつ、「緊急事態宣言」の発令に断固として反対するのでなければならない。いま安倍政権は、「緊急事態宣言」によって戒厳令に似た状況をつくりだし、「治安のため」と称して自衛隊を出動させることをも狙っている。われわれは、こうした強権的＝軍事的支配体制の強化のための日本国軍の出動に断固として反対しようではないか！

われわれは同時に、安倍政権による被災人民を見殺しにした「復興五輪」にも断固として反対するのでなければならない。「五輪」の実現にあわせて、「復興ハイウェー」なるものが開通したのであるが、東北の沿岸部では流通産業などの大資本が進出し、被災地の地元企業は次々と倒産に追いこまれ失業者が生みだされている。被災人民を見捨てた「五輪」が、なにが「復興五輪」か！　福島第一原発から溶け落ちた核燃料デブリを取り出すことがまったくできず廃炉作業は一ミリも進んでいないのに、なにが「復興五輪」だ！　棄民政策によって被災地の人民を痛めつけておきながら、「人類がウイルスに勝った証として祭典をおこなう」（安倍）などとほざいている安倍政権を断じて許してはならない。

いまこそ、日本の労働者階級・学生・人民は、反人民性をむきだしにする安倍ネオ・ファシズム政権をうち倒すことをめざして階級的に団結してたたかおうではないか！

いまこそ労働者階級は国境を越えて団結せよ

われわれは、いま、現代世界を覆いつくしている「コロナ危機」が、あらゆる意味でまさに現代資本主義の〈巨悪〉のゆえに生みだされていることを暴さだし、労働者階級の国境を越えた団結と闘争こそがこの危機を突破する唯一の道であることを、全世界の労働者階級・人民に訴えていかなければならない。

二十世紀末からこんにちにかけて、エボラ出血熱ウイルス、HIV(人免疫不全ウイルス)や、デング熱、SARS(重症急性呼吸器症候群)、MERS(中東呼吸器症候群)などをひきおこすウイルスや細菌が現代社会に危機をもたらしてきたのであったが、現時点の新型コロナウイルスのパンデミックという事態もまた、現代技術文明の悪をむきだしにしたものなのである。

ソ連邦の崩壊(一九九一年)以後に、米・欧・日の帝国主義諸国の政府と独占資本家どもは、「ヒト・モノ・カネの自由な移動」=「経済のグローバル化」の名においてグローバルに展開し、東欧の旧「人民民主主義」諸国や新興諸国や途上諸国の労働者・人民を強搾取の餌食とすることによって延命をはかってきた。

他方、「市場社会主義国」中国もまた、「一帯一路」の名のもとに中国企業をアジア・欧州・アフリカ・南米諸国に進出させ、現地労働者からの搾取や資源の強奪をほしいままにしながら、みずからの主導のもとに巨大経済圏をつくりだしてきたのであった。

こうした「経済のグローバル化」のもとでの帝国主義諸国や中国の諸企業がおこなってきた森林伐採をはじめとする乱開発・地球環境破壊によって地球上のエコシステムは狂わされてきたのであった。エコシステムの攪乱・変容・破壊のなかから生みだされたのが新型コロナウイルスをはじめとする新たなウイルス(や細菌)であるといえる。まさにそれは、二十一世紀文明にたいする〝ウイルスの叛逆〟という意味をもっているのである。(こうしたウイルスを軍事的に転用することが可能なバイオテクノロジーの推進に狂奔してきたのが権力者どもなのだ。)

わが革マル派は呼びかける。むきだしとなった現代ブルジョア文明の悪を覆す闘いを創造することによってこそ、現在直下の世界史的危機を突破することができる——こうした革命的自覚に燃えて全世界の労働者・人民は起ちあがれ！　各国権力者による国家エゴイズムと民族排外主義の鼓吹を許すな！　万国の労働者は、いまこそ団結し、労働者を奈落の底に沈める全世界の権力者をうち倒せ！

（二〇二〇年三月三十一日）

生活補償なき「緊急事態宣言」の強権的発令反対！

（1）

二〇二〇年四月七日、首相・安倍晋三は、新型コロナ対策特別措置法（「改正新型インフルエンザ対策特別措置法」）にもとづいて、東京・神奈川・埼玉・千葉・大阪・兵庫・福岡の七都府県にたいして「緊急事態宣言」を発した。同時に安倍政権は「緊急経済対策」なるものを閣議決定した。

安倍政権は姑息にも、この「緊急事態宣言」を発するのは、「感染の爆発的拡大」の危機をまえにして医療の現場や自治体の長からの要請に促迫されたからだという体裁をとり繕っている。

だが、いわゆる「医療崩壊」の危機的状況をつくりだしたのは、いったい誰か。感染者の発生いらい、医療体制の拡充のための支援策を何ひとつとってこなかったのが安倍政権ではないか。人口比あたりのＩＣＵ（集中治療室）のベッド数は、日本は医療崩壊にあるイタリアの半分以下である。医師の数も日本はイタリアよりもはるかに少ない。にもかかわらず、欧米諸国の医療崩壊を「対岸の火事」のごとくみなしてきたのが安倍政権ではないか。

現場で苦闘する医療労働者の悲痛な叫びにまったく耳を貸さず、感染爆発に備えて医療体制を拡充し医療福祉現場に公的資金・物資を投入することなどを完全にネグレクトしてきたのが安倍政権なのだ。またこの政権は、突然の「全国一斉休校」要請のようなスタンドプレーにのみうつつをぬかしてきた。その後も、全国の学校現場は文部科学省が決定した「ガイドライン」によって再開と休校延長の二転三転にみまわれ、教育労働者は大混乱と労働強化を強いられているのだ。

（２）

安倍政権の「緊急経済対策」なるものもまた、「緊急事態宣言」の発令によっていよいよ困窮のどん底に追いやられる人民の生活を補償するものではまったくない。

安倍政権が新たにうちだした「所得が急減した世帯への三〇万円の給付」という「支援策」なるものは、所得が「住民税非課税世帯」のそれ以下になる世帯（および所得が半分以下に急減して非課税世帯の二倍以下まで落ちこんだ世帯）にのみ対象を絞り、しかも自己申告した者に一回だけ給付するというものでしかない。

「緊急事態宣言」によってさらに夥しい失業者が路頭に投げだされようとしている。にもかかわらず安倍政権は、失業や休業に追いこまれ困窮に突き落とされているすべての労働者・人民にたいして、生活補償を即時かつ全面的におこなうことはあくまで拒否しているのだ。

安倍政権の緊急経済対策費一〇八兆円のうち現金給付は（中小零細企業を含めて）たったの六兆円でしかない。まさに安倍政権は困窮する人民を切り捨てているのであって、「コロナ危機」が「終息」した暁に「経済のV字回復」をはたすために危機におちいった独占資本を救済することにのみ狂奔しているのだ。

（3）

それだけではない。安倍政権はこの発令によって、「所有者の同意」をえることもなく土地や建物を強制的に収用しようとしている。また、サービス業などにたいする「要請・指示」はこれに従わなければ公表するとされているのであり、実質上は強制なのだ。さらに安倍政権は、マスコミにたいする報道統制をおこなうなどの国家的統制を一挙に強化することを策している。

この「緊急事態宣言」発令にかけた安倍政権の政治的狙いは、政府が「財産権」「集会・結社の自由」「報道の自由」などの諸権利を労働者・人民から奪いさり、かつての軍国主義・日本の国家総動員体制を彷彿とさせるような「戦時体制」を構築することにほかならない。日本型ネオ・ファシズム国家による、労働者・人民の諸権利を強制的に剥奪する「緊急事態宣言」の発令に断固反対せよ！

すべての日本の労働者階級・学生・人民は、パンデミック恐慌下の政府・独占資本による一切の犠牲の強要を断じて許すな！　労働者・人民を奈落に突き落とす安倍政権にたいする断固たる闘いを巻きおこせ！

（二〇二〇年四月七日）

〈パンデミック恐慌〉下での労働者人民への犠牲強制を許すな！

Ⅰ　独占資本の生き残りのための首切り・雇い止め・賃金切り下げを許すな！　独占資本救済に血道を上げる安倍政権を弾劾せよ！

・大量首切り反対！　無給の休業強制・自宅待機反対！　新卒内定の取り消し反対！　企業は有期契約・派遣・個人請負労働者への一方

的契約打ち切り＝首切りをやめよ！
・政府は困窮する非正規や個人請負労働者にたいして直接・無条件に生活補償せよ！　倒産の危機に立つ中小零細企業に無償援助せよ！　消費税撤廃！　大企業・高所得者優遇税制廃止！　軍事費増大に狂奔する安倍政権を弾劾せよ！　生存の危機に瀕する〝社会的弱者〟を緊急に支援せよ！
・新型コロナ対策のための予算・物資を医療福祉現場・学校現場に即時供給せよ！　医療費自己負担・介護サービス利用料を無償化せよ！　社会保険料・公共料金を即時免除せよ！
・休校にともなう保護者の収入減を全額補償せよ！　子どもの昼食を保障せよ！　政府・文科省はただちに教員・学校用務員を増員せよ！　国公私立大学の学費値上げをやめよ！　学費を無償化せよ！
・被災人民を見殺しにした「復興五輪」反対！
・政府・独占資本家・「連合」指導部の春闘破壊弾劾！　すべての労働者は〈大幅一律賃上げ〉をかちとるために最後までたたかえ！

Ⅱ　「コロナ対策」を利用した強権的＝軍事的支配体制の強化を許すな！

・労働者人民の生活補償なき「緊急事態宣言」反対！　労働者人民の民主的諸権利の剥奪を許すな！　人民への監視・統制・弾圧の強化反対！　集会・結社の禁止反対！　治安弾圧のための自衛隊の出動を許すな！
・憲法改悪反対！　緊急事態条項の新設反対！

Ⅲ　反人民性をむきだしにする安倍ネオ・ファシズム政権に反対せよ！

各国権力者の国家エゴイズムと民族排外主義の鼓吹を許すな！

万国の労働者はいまこそ団結し労働者を奈落の底に沈める全世界の権力者をうち倒せ！

特集　新型コロナ禍　反安倍政権の炎を

政府は直接・無条件で休業補償せよ！医療現場に資金・物資の即時供給を！

いま日本において新型コロナウイルス感染が米・欧のように爆発的に拡大することをおさえこめるか否かの瀬戸際にある。この重大局面において安倍政権が「感染拡大防止」策として七都府県に発令した「緊急事態宣言」（二〇二〇年四月七日）にもとづいて、政府・自治体は、外出自粛と商業施設・飲食店事業者などへの休業要請をうちだしたのであった。だが、休業にともなう損失の国家的補償は頑として拒否しているのが安倍政権だ。〈パンデミック恐慌〉下で明日からの仕事と食いぶちと住みかを失いつつある膨大な労働者・人民を、続々と廃業に追いこまれつつある中小・零細事業者を見棄てる極悪非道の安倍政権にたいして腹の底からの弾劾を叩きつけよ！　政府は困窮する労働者・人民にたいしてただちに直接・無条件の生活補償を実施せよ！　倒産の危機に立つ中小・零細事業者に休業補償・無償援助せよ！

＜パンデミック恐慌＞下での人民への犠牲強要反対！

いま数多の労働者が、雇用調整助成金や融資を活用しての雇用維持を拒否する資本家から解雇を突然通告され、路頭に迷わされている。非正規雇用労働者が真っ先に雇い止めされ、会社の寮から追い払われ居所すら奪われている。一時帰休にされた労働者への賃金不払いが横行している。飲食店や旅館をはじめとして売り上げがほぼ消失した中小・零細事業者たちは、従業員の給料も賃貸・テナント料や水光熱費も払うことができなくなり、廃業せざるをえない苦境にたたされている。「緊急事態を宣言し休業要請するなら補償しろ！」――生活困窮の地獄に突き落とされた人民の安倍政権にたいする怒りと怨嗟の声が渦巻いているのだ。

安倍政権が鳴り物入りでうちだした「感染拡大に伴う緊急経済対策」（四月七日に閣議決定）なるものは、あまりにも労働者・人民を愚弄するものではないか。目玉商品とされている「一世帯三〇万円の給付金」の内実を見よ。「単身世帯で一〇万円以下、扶養家族一人の場合は一五万円以下」に月収が減少した場合などの基準で給付するとされ、証明書類をそろえて自己申告しなければならない。これでは多くの困窮する労働者・人民が給付を受けられるはずもない。給付されたとしても、わずか三〇万円をたった一回では、焼け石に水ではないか。

中小・零細事業者を対象にした「中小業者に最大二〇〇万円、個人事業者に最大一〇〇万円」の給付金制度も同断だ。月間の売り上げが前年同月比で半減したことを証明する書類を提出する煩雑な手続きが必要で、個人事業者・フリーランスで給付を受けられる者はごくわずかでしかない。一回だけの少額給付、しかもすぐに受けとれるわけでもない。ただちに運転資金を必要としている事業者にとっては死を宣告されたに等しいではないか。安倍政権は、休業補償は国家としては決してやらないと断言し、〝中小・零細企業への支援をやりたいなら各都道府県に交付する「地方経済支援の臨時交付金」を使ってやれ〟と、財政難にあえぐ地方自治体におっぺしこんでいるのだ。

「考えうる政策手段を総動員した」などと首相・安倍晋三が誇大宣伝している給付金の内実は、あまりにも少額で給付対象がごく限られたイカサマなものでしかない。欧米諸国の政府が実施している経済対策と比べてみよ。フランスは給与の七割を補償、イギリスは八割を三ヵ月間補償、ドイツは減少分の六割を一年間補償だ。独・仏では零細企業・個人事業主への資金支援として融資ではなく十数万～一〇〇万円の現金を即時給付している。安倍政権がうちだした給付制度の反人民性は際だっているではないか。

「事業規模一〇八兆円、世界的にも最大級の経済対策」などという安倍の自画自賛は、上げ底に上げ底の嘘八百でしかない。一〇八兆円のうち民間拠出分が約四三兆円、企業の税金・社会保険料支払い猶予分が二六兆円を占め、政府が新たに財政支出するのは特別会計を入れても一八・六兆円だけであり、そのうち給付分はわずか約六兆円でしかないのだからだ。こんなものを「世界最大級」などと宣伝するのは、国家的詐欺いがいの何ものでもない。

それだけではない。安倍政権は、「V字回復フェーズ」などと称して、「ICTを活用したリモート化やデジタル化の取組」とか「クーポン券付与」などの「消費喚起キャンペーン」とかの「感染拡大の収束後」の景気対策に、給付分の倍以上の一三・五兆円も計上している。「パンデミック終息後の消費喚起」や「デジタル革新投資」などを政府に要望した経団連の「緊急提言」に全面的に応えて、独占資本支援のために大盤振る舞いしているのが安倍政権なのだ。

しかもこの政権は、二〇二〇年度予算を新型コロナ対策費を一円たりとも計上しないままに成立させた。軍事費には過去最大の五・三兆円、さらにアメリカ製の超高額兵器を購入するための後年度負担分二・五兆円――これらは少しも削ることなく、だ。困窮する労働者・人民にたいする生活補償は出し渋っておきながら、「経済のV字回復」＝独占資本の支援とアメリカ製兵器の爆買い・軍事強国化には湯水のごとく血税を注ぎこんでいる安倍政権に弾劾の嵐を浴びせよ！

医療崩壊の危機のもとで尽力する医療・福祉従事者を直ちに支援せよ！

新型コロナ感染が確認された患者は日に日に激増し、もはや病床が足らず医療従事者の体制も限界を超えてしまっている。いま医療労働者たちは、「医療崩壊が始まっている」「マスクも防護服も人工呼吸器も体制も足りない」と悲痛な叫びをあげている。ところが安倍政権は、医療崩壊をなんとしてもくいとめ、深刻な物資不足と院内感染の危険に直面しながら人命救助のために懸命に奮闘している医師や看護師たちを支える策を講じることに、まったく腰を入れようとしていないではないか。

「緊急経済対策」のなかの「感染拡大防止と医療提供体制の整備」の項の第一番目に安倍政権が掲げているのは、全人民を唖然とさせた「アベノマスク」＝一住所に二枚の布マスク配布なのだ。こんな馬鹿げた施策に四六六億円も浪費している場合ではないのである。逼迫する医療現場に資金と物資をただちに供給せよ！　だが、医療体制整備のための「緊急包括支援交付金」として安倍政権が計上しているのは、たったの一四九〇億円にすぎない。

イタリアやアメリカ・ニューヨーク州の医師たちが「われわれが直面している医療崩壊は明日の東京だ」と警告を発しつづけてきたにもかかわらず、対岸の火事のようにみなして手を拱いてきたのが安倍政権だ。政府・厚生労働省は、「感染症病床を五万床に増やす」とかとさもさもらしくかけ声をかけているだけであって、重症者用に病床を確保するために無症状・軽症の感染者を受け入れる宿泊施設を借りあげることも、「発熱外来」の設置や病院の機能を分担する体制づくりなども、すべて地方自治体・医療機関まかせにしている始末ではないか。

安倍政権は、感染症対応を主要に担ってきた公立

・公的病院の再編・削減策（四四〇の病院リストを公表）を盛りこんだ二〇年度予算を、まったく修正することなく成立させたのだった。二五年までに全国の急性期病床を三割も減らして二〇万床にする計画を今なお固持し、新型コロナ対策と病床削減計画を「並行して考えるのは当然」などと居直っているのが厚生労働相・加藤勝信なのだ。この期におよんで何を言っているのか！　歴代自民党政府による医療・介護をはじめとする社会保障切り捨て政策、これによってもたらされた医療体制のいちじるしい脆弱化こそが、新型コロナウイルスの急激な感染拡大に際して医療崩壊の危機をもたらしていることはあまりにも明白ではないか。

ところが、自身がソファで犬を抱き・カップ片手にくつろいでいる動画を公式ツイッターにアップし、こともあろうに「こうした行動によって……医療従事者の皆さんの負担の軽減につながります」などというメッセージを書きこんだのが首相・安倍なのだ。〝コロナ対策＝家でのんびりすること〟としか発想できないほど社会的現実から浮きあがりきっているこの輩にとっては、医療崩壊寸前の限界状況も、労働者を襲う解雇・雇い止めの嵐も、中小・零細企業の大量倒産の危機も、想像のおよばぬ〝遠い国の出来事〟でしかないのである。

休校延長で労働強化を強いられる教育労働者

安倍がスタンドプレー的に突然指示を出した小中高校・特別支援学校の全国一斉休校と、その後の再開と休校延長のジグザグが、教育現場に大混乱をもたらしている。政府が再開を求める通知を全国都道府県の教育委員会に出し（三月二十四日）、休校か再開かは各都道府県の教育委員会が決めるとされた。ところが、いったんは再開を決定し入学式・始業の準備を整えたが、入学式の前日になって一転中止が決定されるとか、さらに休校が延長されるとか、というように方針が二週間たらずのあいだに二転三転する事態が全国でうみだされた。

方針が変わるたびに教育労働者は、感染「三密」

対策の準備だけではなく宿題プリントの作り直しや新学期用書類の各家庭への配布や式典準備のやり直し、保護者の苦情への対応や自宅待機の子どもたちのケアや授業計画の作り直し、オンライン授業への対応や分散登校の準備などに奔走させられている。かつてない労働強化を強いられ疲弊困憊しきっているのだ。

他方、休校延長によって、とりわけ低学年の子どもをもつ共働きの労働者やシングルマザーたちは、仕事を休みつづけざるをえなくなり収入を断たれてしまったり、給食が食べられない子どもに十分な栄養をとらせることができなくなったりもしている。

安倍政権がアリバイ的に設定した、一斉休校にともなって休職した保護者に給料を支払った企業への助成金は日額八三三〇円、この交付を受けた企業はたった六件、フリーランスへの支援金・日額四一〇〇円も六件の交付にすぎない(四月五日現在)。この助成金・支援金の制度が、なるべく交付しないように設計されたおためごかしであることは明らかではないか。政府は休校にともなう保護者の収入減を全額補償せよ！

「緊急事態宣言」―休業要請を安倍政権と自治体首長が発しているもとで困窮する労働者・人民を見殺しにし、新型コロナ感染患者治療の苦闘をつづけている医療従事者への支援もおざなりにしている安倍政権を弾劾せよ。同時に、この政権が新型コロナ感染拡大に乗じてたくらんでいる、情報通信事業者から提供させたビッグデータを活用しての一億総監視＝総管理システムの構築・強権的＝軍事的支配体制の一挙的強化と緊急事態条項を新設する憲法改悪を、断じて許してはならない。

政府は困窮する労働者・人民にたいして直接・無条件に生活補償せよ！　倒産の危機に立つ中小・零細企業に無償援助せよ！　新型コロナ対策のための予算・物資を医療福祉現場・学校現場に即時供給せよ！　反人民性をむきだしにする安倍ネオ・ファシズム政権に反対する闘いのうねりをまきおこせ！

（二〇二〇年四月十三日）

安倍政権による困窮学生の切り捨て弾劾！ 直ちに学費無償化・生活補償をおこなえ

日本マルクス主義学生同盟　革マル派

（1）

首相・安倍晋三が新型コロナウイルスの「感染拡大防止」策として発した「緊急事態宣言」にもとづいて、政府および各地方自治体の長は、外出自粛と全国の商業施設・飲食店事業者などにたいする「休業」要請をおこなっている。「緊急事態宣言」の対象地域が全国に広げられてから一週間以上がすぎたこんにち、全国各地で企業経営者に解雇された夥しい労働者が路頭に投げだされ、零細事業者は廃業の危機にたたされている。

休業要請に応じた諸企業の経営者によって、アルバイトによって学費や生活費を捻出してきた多くの学生たちもまた解雇されたり、あるいは内定取り消しに直面したりすることによって、彼らは困窮のどん底に突き落とされている。

学生たちはいま口々に、「食費は一日二〇〇円」「部屋の電気もつけられない」「学費などとても払えない、退学するしかない」などの悲痛な叫びをあげている。

　政府の「緊急事態宣言」発令によって、学生たちが日々の食費や月々の水光熱費を支払えないほどの生活苦に叩きこまれているにもかかわらず、安倍政権は、学生にたいする学費減免や学生生活支援などの補償を一切おこなおうとしていない。

　前期の学費納入期限が刻々と迫るいま、学生を切り捨てる安倍政権によって、学費や生活費が賄えず退学に追いこまれてしまう学生が日々続出しているのだ。

　この緊急事態に際して、わがマル学同革マル派は、苦闘する全国の学生に訴える！　学生たちを困窮に追いこみ切り捨てる安倍政権を徹底的に弾劾せよ！　大学の学費値上げを許すな！　安倍政権は休業要請によって生活苦に突き落とされた学生にたいする即時・無条件の生活補償をおこなえ！　すべての学生の学費を無償化せよ！

　全国の大学において、全学連のたたかう学生は、学生の生活補償と「学費の無償化」を安倍政権にたいして要求す

文部科学省に抗議する全学連（5月8日）

る闘いを断固として創造している。全学連のたたかう学生は、今こそこのうねりを日本全土へとおし広げよ！

全国二九〇万の学生諸君！　今こそ、各大学の学生自治会やサークル連合体などの学生自治組織の団結を強化しつつ、安倍政権による大学生にたいする犠牲の強制に反対する闘いを創造せよ！　一人の学生も退学に追いこまれることのないように、困窮する学友への支援をくりひろげよ！　全学連のたたかう学生は、全国学生の最先頭において奮闘せよ！

いまや全国の多くの大学が休業要請の対象となり、学生会館やキャンパスそのものが長期にわたって封鎖されている。若年層への新型コロナウイルスの感染拡大をくいとめるためにも学生がキャンパスに結集できない、というかつてない状況にあって、わがたたかう学生たちは、敢闘精神を燃えたぎらせ創意性を発揮して、学生自治会やサークルに結集する自治会員・サークル員どうしの団結を強め、日夜奮闘している。

困窮に叩きこまれ苦悩しながらも懸命に日々生きぬいている全国の学生諸君！　今こそ団結を固め、あらゆる困難をのりこえ奮闘しよう！

（2）

貧窮を極める学生の現状をまえにして、一部の大学当局者たちは、学生たちにたいして、一日一〇〇〇円＝月三万円の生活費を給付したり、米を現物支給したりしはじめている。だが、学生たちを今日明日の生活に苦しむほどの困窮に追いやり絶望に突き落としている張本人である安倍政権は、いったい何をやっているのか！　学生への生活補償をすべて各大学任せにし、みずからは一切おこなおうともしていないではないか！

全国の学生諸君！　困窮学生を切り捨てる安倍政権を満腔の怒りを込めて弾劾せよ！　政府はただちに直接・無条件で学生への生活補償をおこなえ！

政府・文科省は、各大学当局にたいして、「感染対策」のために前期の授業の多くをオンラインでおこなえ、と通達している。だが、オンライン授業の導入にともなって必要となる、パソコンの購入費・レンタル費などについても、安倍政権はいっさい学生に支援していない。収入が大幅に減少している学生とその親に、ただでさえ高額な学費に加えてこれらの追加費用をすべて自分たちで賄え、と突きつけているのだ。

安倍政権はただちに、政府がうちだした「感染対策」にともなう就学家庭の生活費用をすべて補償せよ！

首相官邸に怒りの拳（5月8日）

そしてわれわれは、この期におよんでも安倍政権が各国立大学の学費を大幅に値上げさせることを企んでいること、各大学当局による学費設定の「自由化」なるものを強行しようとしていることを徹底的に弾劾する！学生を苦しめる学費値上げを粉砕する闘いに、全国の学生は起て！

現在、文部科学省は国立大学について年額五三万五八〇〇円という「標準額」を設定しており、各国立大学はこの「標準額」より二割高い六四万二九六〇円を上限として学費を設定するとされている。この「上限」枠を取り払おうとしているのが安倍政権なのだ。休業要請のもとで多くの学生がアルバイト先から解雇され生活苦に叩きおとされている今このときに、国立大学の学費大幅値上げ策をなおも推進するなどということを断じて許してはならない！

全国の学生諸君！　安倍政権による学費値上げ策動を全国学生の闘いの力で粉砕するために、今こそ闘いの爆発をかちとれ！

同時にわれわれは、安倍政権による国立大学にたいする運営費交付金や私立大学にたいする経常費補助の削減に断固として反対するのでなければならない。

政府・文科省は、運営費交付金の大幅削減（一四

○○億円の減）をつうじて、「標準額」より高い学費を学生から徴収するように、各国立大学当局に迫ってきた。こうした政府・文科省の指導に従った千葉大学・一橋大学などの五つの国立大学当局は、二〇一九年度・二〇年度の二年間に、実に約一〇万円もの大幅な学費値上げを強行した。

私立大学にたいしても、安倍政権・文科省は、各大学の経常費に占める補助金の割合を、最大時の約二九％（一九八九年）から一〇％以下にまで削り落としている。いまや私立大学の学費は、文系学部では平均約一〇〇万円、理系では一〇〇万円をはるかに上回っている。

全国の学生諸君！　安倍政権・文科省による交付金・経常費補助の削減に反対し、国公私立大学の一切の学費値上げを粉砕せよ！　学費の無償化をかちとるために、闘いのうねりを全国からまきおこせ！

（３）

いま各企業の資本家どもは、学生にたいして内定取り消しを次々に突きつけている。卒業と同時に失業者となって路頭に投げだされてしまう学生が後を絶たない。われわれは、資本家どもがふりおろしているこの攻撃を打ち砕くために起ちあがるのでなければならない。

＜パンデミック恐慌＞下において、独占資本家どもは、己れの生き残りのために一切の犠牲を労働者に転嫁している。大量首切り・雇い止め攻撃によって、かつてないほどの夥しい労働者・勤労人民が、そして新卒者が職を失い奈落に突き落とされている。にもかかわらず、困窮する人民の生活を補償することを頑として拒みつづけ、危機に陥った独占資本を救済することのみに狂奔しているのが安倍政権にほかならない。まさに貧しき者の棄民以外のなにものでもないではないか。

われわれは、ブルジョアジーによる大量首切り・雇い止めを打ち砕くために闘いに起ちあがっている労働者と連帯し、労働者・学生・人民への一切の犠牲転嫁に反対してたたかうのでなければならない。

そして同時にわれわれは、安倍政権による憲法改悪の策動を断固として粉砕するのでなければならない。

「緊急事態宣言」を発したその日に、首相・安倍は、「〔『緊急事態条項』などの自民党改憲案は〕きわめて重く、重大な課題」などと叫びたてた。このことのなかに、日本の人民が新型コロナウイルス禍に苦しんでいるときに、これに乗じて改憲に道を開こうという安倍の悪辣な野望がはっきりと示されているのだ。

「財産権」「集会・結社の自由」「言論の自由」などのブルジョア民主主義的な諸権利を労働者・人民から根こそぎ奪いさるとともに、憲法第九条を改悪することを企んでいるのが、安倍日本型ネオ・ファシスト政権なのだ。

われわれは、この安倍政権の改憲攻撃を絶対に打ち砕くのでなければならない。

安倍政権・防衛省は、労働者・人民に困窮生活を強いながら、巨額の予算を注ぎこんで沖縄・辺野古への米軍新基地建設の工事を連日強行している。

安倍政権はただちに辺野古への基地建設を中止せよ！　高額のアメリカ製兵器の大量購入をただちにやめよ！　すべての学生は、日米新軍事同盟の強化に断固として反対せよ！

パンデミックと恐慌とが相乗するかたちで進行するという人類史的な危機のもとで、アメリカ、欧州、日本などの各国の独占資本家どもは、己れの生き残りのために、労働者にたいする大量首切り、雇い止めの攻撃に狂奔している。全世界各地で夥しい労働者・人民が路頭に放りだされている。困窮に追いやられた貧しき者から貧しき者へと新型コロナウイルスの感染はひろがってゆき、今このときも多くの人民が命を落としている。

この世界史的な危機のなかで、わがマル学同革マル派は、すべての日本の学生に呼びかける！

生活苦に叩きこまれている全世界の学生と連帯し、また感染の危険にさらされながらも人民の命を守るために最前線で奮闘する医療労働者と、そして失業と貧困、圧政のもとで苦闘するすべての全世界の労働者・人民と連帯し、労働者・学生を奈落に突き落とす全世界の権力者どもをうち倒そうではないか！

（二〇二〇年四月二十四日）

特集　新型コロナ禍　反安倍政権の炎を

新型肺炎禍で困窮する人民を見殺し

税所範代

首相・安倍晋三が七都府県を対象として発した「緊急事態宣言」(二〇二〇年四月七日)にもとづいて、各自治体の知事は、各種商業施設、飲食店、劇場・美術館などにたいして営業自粛・休業を「要請」した。これと同時に政府は「減収世帯への現金給付」を含む「緊急経済対策」なるものを決定した。だがそれは、休業によって生活困窮に突き落とされた正規・非正規雇用の労働者や収入が絶たれた自営・中小企業事業者の生活補償にも支援にもまったくならない人民切り捨て策いがいのなにものでもない。〔対象世帯を限定した「三〇万円給付」案への人民の怒りに直撃されて、安倍政権は四月十六日に「一人一律に一〇万円給付」方針に転換した。だがそれじたいが、一回きりで支給開始が五月以降という、人民の生活補償にはほど遠いしろものだ。〕

対象者を絞り　たった一回だけの三〇万円現金給付

安倍政権が「緊急経済対策」の目玉事業としておしだした「減収世帯への三〇万円の現金給付」、これは困窮するすべての労働者世帯の切実な声に応えるものではまったくない。

単身世帯で「月収が一〇万円以下に、もしくは半減して二〇万円以下に」減少した場合に、三〇万円をたった一回かぎり給付するというだけなのだ。（扶養家族がいる世帯には「一人当たり五万円」引き上げた額を支給基準とする。）

たとえば、これまで月収二〇万円であった単身の労働者が月収一〇万一〇〇〇円に減っても支給されない。子どもが一人いる月収二二万円のシングルマザーの世帯が、月収一六万円に落ちこんでも一円も支給されない。また、世帯主の月収を基準とするので、共働き家庭の配偶者の収入が半減してもまったく考慮されない。とにかく給付対象者をできるだけ少なくするために給付資格を極限的に限定するという意図がミエミエのこの制度で、いったいどれだけの労働者世帯が給付金を受けとれるというのだ。

収入減を証明する何種類もの書類をそろえ自己申告し審査にとおったとしても、実際に支給されるのは早くて五月後半いこう、多くは夏まで待たされる。なにが「生活支援」だ！

〝雀の涙〟にもならない中小事業者支援

安倍政権は、「個人事業主・フリーランスに上限一〇〇万円、中小企業に上限二〇〇万円の給付金」を支給すると発表した。「売り上げが半減」した事業者のみを対象に・たった一回きり支給するという。しかも、給付金を受けとるための申請・手続は煩雑で、支給の実施時期すら未定だ。休業によって顧客がゼロに近いほどにまで落ちこみ売り上げが激減している自営業者、従業員の給料支払いや明日の資金繰りに困りはてる中小・零細企業事業者にとって、〝雀の涙〟にもならない少額の・何ヵ月先に支給されるのかわからない「給付金」なるものを提示されたとしても、それでどのように事業を継続しろというのか。実際に「給付金」が支給されるころには、すでに会社は存在しない、という可能性が高いのだ。

また政府は、中小企業むけの低利・無担保の融資を金融公庫や民間の金融機関に促すという。だがそれは、借金をしても返済のめどもたたず廃業や倒産の危機に追いこまれている中小・零細企業経営者とその従業員を見殺しにするに等しいではないか。中小企業や労働者の「個別の損失の直接補償は現実的ではない」などと言い放ち、あくまでも補償を拒否しているのが首相・安倍なのだ。

上げ底・水増しだらけの「事業規模一〇八兆円」

首相・安倍は、これらの「緊急経済対策」を「世界的にみても最大級」だとか「国内総生産（GDP）の二割にあたる事業規模一〇八兆円」だとかとうそぶいた。だがその内実は、上げ底・水増しによる「巨額」の印象操作にほかならず、労働者・人民をあざむく〝虚額〟そのものだ。

政府が喧伝する「事業規模一〇八兆円」なるもののなかには、昨一九年決定済みの経済対策の未執行分（消費税増税対策など六・四兆円）、企業の納税・社会保険料の支払い猶予分（二六兆円）、企業が国の補助を受けて機器などを購入する民間拠出分（四二・七兆円）までもが含まれている。「一〇八兆円」のうちの大半（実に七割以上！）が、人民の生活補償とも医療支援とも無縁な完全なる水増し分で占められているのだ。これを、あたかもウイルス禍に苦しむ労働者・人民のための財政支出であるかのように偽装しているのが安倍政権だ。まさに、国家的詐欺といわずしてなんというのか！

新型コロナウイルス対策として国が新たに支出する金額は一六・七兆円、そのうち「現金給付」分は六兆円にすぎない。それすら出し渋っているのが安倍だ。

そもそも「一斉休校」にともなって安倍政権がうちだした「助成金制度」もなんの救済にもなっていない。「休校措置」により休業した保護者に給料を支払った企業への一日「八三三〇円」の助成は、全国で申請件数一〇〇〇件、実際の交付件数はわずか六件だ。フリーランスの保護者にたいする一日「四一〇〇円」の助成は、申請件数五〇〇件、交付は六件のみだ。政府は申請を大量に却下している。休業補償などさらさらやる気がないのだ。

そして、政府のいう「雇用調整助成金」なるものは、労働者に直接的に支給するものではなく、申請した企業にたいして労働者の休業手当に充当するものとして支給されるとされている。だが現実には、助成金の上限＝一日八三三〇円を超えた休業手当分は企業負担になるがゆえに、これを嫌った少なからぬ資本家が助成金を申請せず、労働者を無給で休ませたあげくに解雇・雇い止めにしているのだ。しかも、この雇用調整助成金にかんして厚生労働省に寄せられた相談は四万七〇〇〇件にのぼっているにもかかわらず、支給決定されたのはわずか二件（四月三日時点）にとどまっている。

いったいどれだけの労働者がすでに資本家による賃金不払い・雇い止め・解雇を突きつけられ、困窮に突き落とされているのか！　こうした労働者の苦しみなどおかまいなしに、おためごかしの「雇用を守るための助成金」などと吹聴しているのが安倍政権なのだ。六〇～八〇％の直接給与補償措置をとっているドイツ・イギリス・イタリアに比しても、あまりにも冷酷無比な労働者切り捨て策ではないか！

その他方でこの政権がなによりも力を注いでいるのは、「日本経済再生・財政再建」の名による独占資本支援策である。安倍政権は、パンデミックが終息すれば「V字回復」をはかることができるなどと想い描き、景気浮揚策として一三・五兆円、うち観光・クーポン券などに一・七兆円を「一〇八兆円」のなかに計上している。労働者・人民を路頭に放りだし、なによりも独占資本家・大企業救済のための消費喚起・景気回復に狂奔している安倍政権を弾劾せよ。

感染者の急増によっていまや日本全国で「医療崩壊」の危機がさし迫っている。このときに、安倍政権がうちだした医療体制整備費用は一四九〇億円にすぎない。これで、不足するＩＣＵ（集中治療室）用のベッド、人工呼吸器、医療用マスク、防護服をどうやって増やせというのだ。軽症者・中等症者を収容するためのホテル・滞在施設の手配についても政府はまったく手をくださず、すべて地方自治体任せなのだ。「アベノマスク配布」などという場当たり的な愚策に四六六億円もかけるのではなく、医療・介護福祉現場にただちに予算・物資を投入せよ。

現在のパンデミックのもとで生命と生活の危機に叩きこまれている労働者・人民を救済することにはカネを出し惜しみ、その他方で大企業支援のための法人税還付や景気対策に邁進するとともに、アメリカ・トランプ政権の言いなりに膨大な軍事費を躊躇なく支出しているのが、安倍ネオ・ファシスト政権だ。絶対に許すな。

（二〇二〇年四月十三日）

職奪われしわれわれ、朝起き憤怒を詠めり

歌和心

薫風の　香しき空　仰ぎ見る
　白雪の富士　雄々しくそびゆ

忘れまじ　コロナ禍悲劇　同胞よ
　乗じる資本に　憎悪果てなし

オベイション　狂おしきかな　起ち向かへ
　統べる安倍らを　震撼させよ

あはれなり　短冊学者　馬鹿マスゴミ
　おのれの無能　いまだ認めず

コロナ禍に　苦しみ多し　我もまた
　特需を狙う　者ども憎し

恐るべし　生物兵器　人殺し
　予期せぬ災禍　招き寄せらん

トランプも　習も同じ　責任なすり
　真相いまだ　明らかにせず

我は起つ　解放の道　今ぞ近し
　輝くしるべ　すでに持ちたる

特集　新型コロナ禍　反安倍政権の炎を

東京の医療現場から
医療崩壊の危機下で奮闘する労働者

上坂あゆみ

首相・安倍晋三は、七都府県を対象にして新型コロナウイルス対策特別措置法にもとづく「緊急事態宣言」を発した(二〇二〇年四月七日)。安倍は「宣言」の理由として、「都市部を中心に患者が急増」し「病床数は限界に近づいている」と東京などでの医療崩壊的危機をさもさもらしく語った。

だが、医療崩壊を招きよせたのはいったい誰なのか！　いま医療労働者たちは安倍政権にたいする怒りをたぎらせている。「このままでは医療崩壊になる」ことは、新型コロナウイルス感染の「第二次流行」が始まった一ヵ月以上前から医療従事者や感染症の専門家が警鐘を乱打してきたことではないか。「日本もイタリアのようになる」「救いたくても救えなくなる患者がでる」という医療労働者たちの悲痛な警鐘を、いっさい無視してきたのが安倍政権ではないか。何の手も打たなければ、感染症病床やICU(集中治療室)病床の数も、感染症患者の治療・看護にあたる医師・看護師の人数も、増大する患者にたいして決定的に不足するであろうことは明らかであった。しかも医療機関においては絶対に必要なマスクや消毒液が欠乏しはじめていることも、医療労働者が幾度も叫んでいたではないか。〟アベノマスク配布〟の愚策に引き続く緊急事態宣言が〝医療崩壊をくいとめることになる〟などと、よくも言えたものだ! 医療労働者たちは叫んでいる――「布マスクに何百億円使うなら医療現場にいますぐサージカルマスクや防護服をよこせ!」「収入がなくなり食べられない人も医者にかかれない人もでているのに政府はいったい何をやっているんだ。直ちに現金給付しろ!」と。

この医療労働者の「反安倍」の憤懣・怨嗟・怒りの声を、階級的な憤怒へと高め労働者階級の階級的団結を強化しようと、いま革命的・戦闘的労働者は、医療労働の現場において・また労働組合運動の場において、日夜奮闘を続けている。

1　新型コロナウイルス感染の危険にさらされながらの苦闘

新型コロナウイルスの感染者が世界で一五〇万人を超え(四月九日現在)日々激増している今日、全世界で医療労働者の苦闘が続いている。感染者も死者も急増しているアメリカ、とりわけニューヨークにおいては、防護服やマスクも不足し、多くの医療従事者も感染して死亡している。

このニューヨークの状態を「明日の東京」と恐れつつも、いま医療崩壊寸前の病院現場において日夜奮闘しているのが、東京の医療労働者たちである。都内で新型コロナウイルス感染症の患者の治療を最前線でおこなっている病院において、すでに医療労働者の感染が明らかになりはじめている。それは、医療労働者がどんなに細心の注意を払っても、苦しむ患者の不意の動きや機器の誤作動などによって患者からの感染が防ぎきれないことを示している。感染した患者にたいする治療の最前線で奮闘する医療労働者は、みずからが感染する危険に苛まれながら、日々患者の治療・看護を担っているのだ。

東京では新型コロナウイルスの感染者が、発表されているだけでも一五〇〇名を超えた（四月九日現在）。従来準備されていた感染症指定医療機関の感染者用ベッド数ではとうてい間に合わないばかりか、このかん都立病院を中心に追加・追加で準備してきた急ごしらえの「感染者用」（従来は一般の病床）のベッドを合わせても（四月五日現在で一〇〇〇床との発表）足りなくなっている。人工呼吸器などを使う技術をもつ訓練された医師・看護師は、急増する肺炎患者に比して圧倒的に不足している（最も重症の患者にはＥＣＭＯ（エクモ）という「人工肺」を使い、患者一人あたり約八人の医療スタッフが係わる必要があるとされている）。

「都知事・小池百合子は、感染者用病床の決定的な不足に直面して無症状者や軽症患者の民間ホテルでの療養を開始した（四月七日）が、いまなお感染者用の病床は日々満床となり新たな入院患者は待機して患者の退院を待つ、という自転車操業的状態である。」

いまや一般病棟の看護師たちも、必要最低限の訓練を受けて新型コロナウイルス感染者を看護する現場に駆けつけることになっている。彼らは慣れない業務で心身の疲労が蓄積するばかりかマスクや防護服の不足にも直面、「武器なしでたたかう」日々であり感染の危険は増大している。また一般病棟から「感染症病床」への応援の看護師がドンドン抜けていくのに従って、一般病棟の看護師の労働強化もいやましに増している。このような苛酷な労働のなかでいったん医療従事者が感染することになれば、院内感染をもたらすおそれがあり病院業務の縮小や停止に見舞われることになる。そうすれば医療崩壊が加速するという悪循環に陥ってしまう。医療労働者は日夜この緊張のなかで苦闘しているのである。このような医療現場の苦闘をまったくかえりみない安倍政権にたいして、医療労働者は「安倍のコロナ対策はデタラメだ！」と怒りをたぎらせている。

以下、安倍政権のこのかんの新型コロナウイルス感染にたいする失策・愚策について、その反人民性について明らかにしたい。

2　安倍政権の感染症対策の失敗

(1)「オリ・パラ」中止を避けるための〝感染者隠し〟

まず、「東京オリンピック・パラリンピック延期」決定まで、新型コロナウイルスの感染者としてカウントされる人数を増やさないように増やさないようにと画策してきた、〝感染者隠し〟の問題である。

東京オリンピック・パラリンピックの延期が決定する三月二十四日まで、安倍政権は〝日本は感染爆発にはいたっておらずもちこたえている〟ことをしきりに吹聴してきた。「復興五輪」の中止をなんとしても避けたいと画策した安倍とその取り巻きどもは、日本の感染者をできるかぎり少なく見せることに腐心していた。感染ルートの分からない患者の増大（市中に感染が広がっていることを意味する）に直面して、感染症の専門家が「感染爆発が近い」と警鐘を乱打していたにもかかわらず。

政府・厚生労働省がPCR検査（ウイルスの遺伝子検査）に医療保険が適用できるものと決定し、感染が疑わしい患者にたいしてはかかりつけ医が（保健所に届け出たうえで）検査を指示できるようになっても（三月六日以降）、PCR検査数は増えてこなかった。これは、検査体制の不備に加えて、検査で陽性と判明したならば患者を入院させることになり感染症対応の病床が決定的に不足することを恐れた医師たちが、PCR検査の実施に二の足を踏んでいたことにもよる。この検査体制の不備と医療機関の自己規制ゆえに検査数が増えない（それゆえに判明する陽性者も増えない）ことを〝渡りに船〟として、政府・厚労省は「日本の感染者は少ない」ことを誇っていたのだ。実際には、「軽症」とみなした患者にたいしてPCR検査を実施することを控えてきた帰国者・接触者外来などの医師たちの多くが、切実な危機感を抱いていた。彼らは、〝感染症病床があふれて医療崩壊になるのを防ぐために、無症状や軽症の患者を入院適用からはずすなど、直ちに新型コロナ対策指針を見直すべきだ〟と、政府に要請していた。だが安倍政権は、この医師たちの危機感を受けとめることなく、指定感染症である新型コロナウイルスの感染者はたとえ軽症であっても全員入院させるという方針を変えず、しかも感染症病床の増床など医療体制の整備をまったくネグレクトしたのだ。

⑵ 感染症病床確保の放擲

安倍政権は、感染症病床の決定的な不足が予測されていたにもかかわらず、そのことにたいして、何の対策も講じなかった。

二〇一九年末において、日本国内の感染症病床は全国で二〇〇〇床に満たなかった（一九九六年には九七〇〇床はあったが削減された）。ＩＣＵの病床数も諸外国に比してあまりにも少ない（人口比ではイタリアの二分の一以下、ドイツの約六分の一）。

予測される病床不足にたいしては、政府の責任で感染症指定医療機関およびそれ以外の医療機関が新型コロナウイルス感染の肺炎患者を受け入れる病床の増床・確保ができるように支援したり、無症状者や軽症者などを入院適用からはずす決定をしたり、軽症者受け入れ先の施設・体制を準備したりする必要があった。にもかかわらず、これら一切をネグレクトし、都道府県当局に委ねてきたのが安倍政権なのだ。

しかも、新型コロナウイルス感染者を受け入れている医療機関においてさえ、サージカルマスクやＮ95マスク・防護服・フェースシールド・ゴーグル・消毒液などが「もう底をつきはじめている」と医療労働者が悲痛な叫びを発していた。三月から深刻に叫ばれていた「医療崩壊の危機が迫っている」という声に、安倍政権はいっさい耳を傾けてこなかったのである。

⑶ 公立・公的病院の削減

「医療崩壊」の淵源は、過去の小泉政権など歴代自民党政権による医療費抑制策にある。権力者に「経営効率が悪い」とみなされてきた感染症対応の病床（旧来は主に国公立病院がその役目を担ってきていた）はドンドン減らされてきた。安倍政権もまた、この〝公的病院切り捨て〟策を引き継いで、昨一九年、四二四（その後四四〇に修正）の公立・公的病院を名指しで、統廃合するか機能縮小するようにと指示していたのであった（うち四十八病院が感染症指定医療機関）。〔都知事・小池もまた、この政策に従って、都立病院を民間の経営手法を生かした独立行政法人が運営するものにかえるようにとの施策をうちだしていたのであった。〕

歴代政権が、感染症に対応してきた国公立病院を徹底して統廃合し削減してきたこと、全国の保健所も大削減し半減させてきたこと——これら感染症対策・公衆衛生対策を切り捨ててきたことのツケが、いま重く日本の労働者・人民にのしかかっているのだ（本誌本号「都立・公社病院の『独立行政法人化』反対！」論文参照）。

⑷ クルーズ船の感染症対策の失敗

安倍政権は、WHO（世界保健機関）からも「日本が心配」と非難されたクルーズ船「ダイヤモンド・プリンセス」における感染症対策の失敗を、何ら教訓化していない。

DMAT（災害派遣医療チーム）や感染症の専門家などがクルーズ船に乗りこんだにもかかわらず、船内の感染症対策はデタラメなものであった。乗船した政府関係者、DMAT、自衛隊、クルーズ船の乗員などは、それぞれが自分のグループの指揮系統のもとで動き、マスクや防護服着脱の方法もそれぞれバラバラにおこなっていた。一方で、自衛隊員はBC兵器に対応できる防護服で〝完全武装〟して全員感染を防ぎ、他方、厚労省などの役人は〝ラフ〟に移動して何人かが感染した——これらの諸グループの乱立のなかで、医療関係者はイニシアティブを発揮できなかったとのことである。

多数の乗員・乗客への感染が明らかになった後に

なって、乗船した日本環境感染学会の専門医や国立国際医療研究センターの職員などが、「早期の全員下船を提案した」が政府に蹴飛ばされた旨を証言した。このことからも感染症の専門家たちの意見を無視し官邸主導で「検疫」「船内待機」を強行した安倍政権の失策は明らかなのだ。チャーター機での武漢からの帰国者を受け入れたホテル（千葉県勝浦市）では、医療支援チームが終始主導して感染対策を徹底し、二次感染を防いだとのことだ。これとは対照的に、政府が主導したクルーズ船の「検疫」は完全に失敗したのだ。

このような失敗を何ら教訓化していないがゆえに、安倍政権は、その後も海外からの帰国者の受け入れや検疫をめぐってジグザグをくりかえしてきた。「後手後手に回っている」と批判を受けるや何の準備もしないままに「感染を広げないため」と称して「全国一斉休校」を要請したり、それを解除したり条件付き再開をしたりと、朝令暮改をくりかえしている。それら一切のツケは現場の医療労働者や教育労働者にのしかかっているのである。

3　ＮＳＣ専制の強権的支配体制の強化を許すな！

「緊急事態宣言」の発令が「医療の負担を減らす」などという安倍の言葉とは裏腹に、医療労働者の苦闘はさらに重圧を増している。医療の現場に何の関心もない安倍は、感染対策としてもっぱら疫学的見地から「人と人との接触を減らす」ことを指示しているのだ。だが、感染した人は、重症になった人は、いったいどうするのか？　問題は山積しているのだ。「感染爆発」のもとで医療提供体制をどのように整備するのか。マスクも不足するなかで医療従事者の感染をどのように防ぐのか。新型コロナ感染者の無症状・軽症者・中等度者・重症者などの行き先をどのように分けていくのか。感染すれば重症になる危険性のある高齢者・病弱者・要介護者の病状を悪化させないためにどうするのか。新型コロナウイルス感染患者の治療ばかりでなく日常の地域医療などの医療提供体制をどのように確保していくのか。――これらのことをまったく考慮していないのが安倍政権なのだ。

感染症の専門家や医療従事者の危機感をまったく共有できず場当たり的な愚策をくりかえしてきたことは、首相・安倍とその取り巻きどもが日本の労働者・人民の健康・生命に無頓着であることを示して余りある。「休校」指示のジグザグや「アベノマスク配布」など安易で奇妙奇天烈な施策の実施を、秘書官らの思いつきに乗っかった安倍が決定した。これらを上からたれ流せば「支持率が上がる」かのように、彼らは錯覚しているのであろう。首相専決・NSC専制の体制に慣れ親しんできた安倍政権末期の腐敗と汚濁がいまや露わとなっているのだ。

安倍日本型ネオ・ファシズム政権は、これまで「全世代型社会保障」という名のもとにとりわけ高齢者への社会保障サービスを削減し自己負担を増大させてきた。そこには体の弱い高齢者にたいして〝貴重な医療資源を費やして救うのはムダ〟という発想が貫かれているのである。オーバーシュートで医療崩壊に陥った場合にはどうするのか?「六十歳以上には人工呼吸器は付けない」(イタリア)というように安倍政権もまた、高齢者・病弱者など〝国家の役に立たない〟とみなした社会的弱者は切り捨てるという腹を固めているのではないか。ネオ・ファシスト安倍のイデーも、弱肉強食・優勝劣敗の社会ダーウィニズムと同様のものなのである。

安倍は「緊急経済対策」についても、「〔休業補償などの〕個々のケースの補償は難しい」とくりかえし、労働者・人民の生活補償を全面的におこなおうとはしない。独占資本家どもが生き残りをかけて一切の犠牲を労働者に転嫁しようとしている今日、リーマン・ショックの時どころではない大量の失業者・生活困窮者が巷にあふれようとしている。だが、首切り・雇い止めで食えなくなる労働者・人民の困窮にたいしても、感染すると重症になる持病を抱えた高齢者にたいしても、安倍政権は〝切り捨て〟策で臨んでいる。一世帯二枚の布マスクや収入半減者へのわずかな現金給付(全員がもらえないそれ)を除いて何の支援もおこなおうとしていないではないか。

いまや「緊急事態宣言」を発した安倍は、労働者・人民の行動を制限することに狂奔しようとしている。経済再生相・西村康稔は、「人との接触の七～八割減少」が達成できているかどうかをつかむために、携帯電話を持っている労働者・人民全員の位置情報を参考にして人民の「行動変容」をチェックし、目標が達成できなければ「より強い措置で臨む」と居丈高に言い放っている。いまや、〝一億総監視〟の強権的＝軍事的支配体制の飛躍的強化を企てているのが、安倍日本型ネオ・ファシズム政権なのだ。

首相・安倍は、「緊急事態宣言」を発したその同日、「今回のような緊急事態に対応するため」などと称して「緊急事態条項」を設けるという改憲の議論をするようにと、衆院議院運営委員会で呼びかけた。日本の労働者・人民が新型コロナウイルスの感染に苦しんでいる時に、この災厄に乗じて改憲に突進しようとしているのが、極悪非道な安倍なのだ。

一九八〇年のネオ・ファシズム統治形態の成立以後もなお残されてきた現行憲法の「言論の自由」・「集会・結社の自由」のブルジョア民主主義的諸権利を盛りこんだ条項（第二十一条）をも、安倍政権は「緊急事態条項」を突っこむことによって憲法第九条とともに実質上なきものにしようと画策しているのだ。われわれは、これを絶対に許してはならない。

安倍政権のさらなる社会保障切り捨て・〝社会的弱者〟切り捨てを、われわれは許してはならない。「生存の危機に瀕する〝社会的弱者〟を緊急に支援せよ！」「新型コロナ対策のための予算・物資を医療福祉現場・学校現場に即時供給せよ！」「コロナ対策を利用した強権的＝軍事的支配体制の強化を許すな！」というわが同盟の緊急スローガンを高く掲げ、医療福祉の職場において闘いをつくりだそう！

独占資本家どもの首切り・雇い止め攻撃をはね返そうと奮闘しているすべての労働者とともに、パンデミックのもとで苦闘する全世界の医療労働者たちと、そして、戦争と貧困と抑圧に苦しむ全世界の労働者と連帯して、悪逆無道な権力者どもを打ち倒そう！

（二〇二〇年四月九日）

都立・公社病院の「独立行政法人化」反対！

——病床再編・削減を先導する都当局——

千　秋　恵

　安倍政権の反人民的政策によって、新型コロナウイルスの感染症が拡大しつづけている。いま、新型ウイルス患者をうけいれている医療現場では、医療崩壊寸前ともいえる事態が生みだされている。

　東京都において新型ウイルス患者を真っ先に、連続的にうけいれているのは都立病院・公社病院だ。感染症の拡大に応じて、臨時の応援体制の要員として、次々と感染症病棟に招集されている医療労働者は、昼夜、張りつめた緊張感をともなう業務を強いられ、疲弊の極致にたたきこまれている。感染症対応のために人員を引き抜かれた一般病棟では、大幅な欠員によって、看護師の夜勤回数の増加は当たり前、刻々と変わる感染症拡大防止のための業務手順や労働配置の変更のゆえに、勤務シフトを組むことすら困難となるなど、異常ともいえる事態が生みだされている。加えて、不足するマスクや消毒剤の使用制限が病院当局から号令され、最低限の感染予防の用具すら保障されないいまま、病院労働者は、みずからが感染するリスクを背負いながら綱渡りの業務を強制されている。医療現場では、いま、「感染し

革共同 革マル派機関紙　（週刊新聞　通常6頁　300円）

『解放』購読のおすすめ

下記の「定期購読申込書」に必要事項をご記入のうえ料金とともに現金書留にて郵送してください。郵便振替でのお申し込みの際は、通信欄に必要事項を記載してください。

定期購読料金（送料共）　<料金は前納制です>

	第三種郵便（開封）	普通郵便（密封）
1ヵ月　（4回分）	1,452円	1,760円
6ヵ月（24回分）	8,712円	10,560円
1年間（48回分）	17,424円	21,120円

見本紙を無料進呈！ メールまたは葉書に「見本紙希望」とご記入のうえ、住所・氏名・電話番号を明記し、解放社宛にお送りください。最新号を一部、送呈いたします。〈E-mail　jrcl@jrcl.org〉

申込先・電話番号	郵便番号・住所	振替加入者名	口座番号
解放社 03-3207-1261	162-0041 東京都新宿区 早稲田鶴巻町525-3	解放社	00190-6-742836
北海道支社 011-717-2890	001-0037 札幌市 北区北37条西7-4-10	解放社北海道支社	02720-6-36757
北陸支社 076-298-7330	921-8155 金沢市 高尾台2-243	解放社北陸支社	00700-0-14211
東海支社 052-332-3327	460-0012 名古屋市 中区千代田3-18-30	解放社東海支社	00810-7-42079
関西支社 06-6320-3356	533-0014 大阪市 東淀川区豊新5-6-5	解放社関西支社	00910-5-316209
九州支社 092-561-7400	815-0041 福岡市 南区野間2-9-12	解放社九州支社	01760-9-17074
沖縄支社 098-879-6814	901-2133 浦添市 城間3-26-13	解放社沖縄支社	01780-7-119982

切り取り線

定期購読申込書

（〔 〕内は、○で囲ってください。『解放』は毎週月曜日発行です。）

『解放』を ___ 月・第 ___ 週より〔1ヵ月・6ヵ月・1年間〕〔開封・密封〕で申し込みます。

住所：〒

氏名：　　　　　　　　電話番号：　（　　　　）

全国各地・各戦線での闘いをビビッドに報道／政府の政策や反動イデオロギーのまやかしを徹底批判／理論＝思想創造の熱い息吹き──学習や研究論文も充実／内外の時事問題を解きほぐす分析・論評記事を満載！

『解放』販売書店一覧

●北海道

MARUZEN＆ジュンク堂書店札幌店	中央区南１西１
東京堂書店	札幌市北区北24西５
TSUTAYA木野店	音更町木野大通西12

●東京都

書泉グランデ	神田神保町
ジュンク堂書店池袋本店	南池袋
紀伊國屋書店新宿本店	新宿駅東口
模索舎	新宿２丁目
芳林堂書店高田馬場店	高田馬場駅前
オリオン書房ルミネ立川店	ルミネ立川８階

●神奈川県

有隣堂本店	横浜伊勢佐木町
有隣堂横浜駅西口店	ジョイナスB1階
有隣堂アトレ川崎店	アトレ川崎４階

●群馬県

煥乎堂本店	前橋市本町

●茨城県

やまな書店	水戸市大工町

●北陸地方

金沢大学生協	金沢市角間
うつのみや金沢香林坊店	香林坊東急スクエア
うつのみや金沢百番街店	金沢駅Rinto

●東海地方

MARUZEN＆ジュンク堂書店新静岡店	新静岡セノバ５階
ジュンク堂書店名古屋店	名駅３丁目
MARUZEN名古屋本店	栄丸善ビル３階
ウニタ書店	名古屋市今池
三洋堂書店いりなか店	名古屋市いりなか
愛知大学生協	豊橋市

●関西地方

丸善京都本店	京都BAL地下１階
ジュンク堂書店大阪本店	堂島アバンザ３階
大阪経済大学生協	東淀川区
関西大学生協	吹田市

●九州地方

福岡金文堂本店	福岡市新天町
金修堂書店本店	福岡市草香江
宗文堂	門司区栄町
ジュンク堂書店鹿児島店	鹿児島市呉服町

●沖縄県

ジュンク堂書店那覇店	那覇市牧志
ブックスじのん	宜野湾市真栄原
朝野書房沖国大店	宜野湾市宜野湾
宮脇書店宜野湾店	宜野湾市上原
宮脇書店美里店	沖縄市美原
宮脇書店名護店	名護市宮里

（2024. 10 現在）

◎『解放』掲載の主要な論文や記事の一部をホームページで紹介しています。
革マル派公式サイト　http://www.jrcl.org/　E-mail jrcl@jrcl.org
◎ 解放社の出版物はＫＫ書房でも扱っています。
TEL03-5292-1210　http://www.kk-shobo.co.jp/　E-mail info@kk-shobo.co.jp

たら自己責任だ」と言い放つ病院当局にたいする労働者の不信と怒りが渦巻いている。これまでも、病院当局によって慢性的人員不足のもとで労働強化を強いられてきた病院労働者は、感染症対応の業務が覆いかぶさることによって、極限まで心身をすり減らし、いつ倒れるかもしれない限界状況に追いこまれている。

このように新たな感染症や災害などの住民の健康上の危機にたいして真っ先に対応し奮闘してきているのが、都立病院をはじめ全国の公立・公的病院の医療労働者なのである。だが、この都立病院にたいして、都知事・小池百合子は、二〇一九年十二月都議会所信表明において突如として「都立八病院及び東京都保健医療公社六病院（以下「公社病院」、註1）計十四病院を一体的に地方独立行政法人（註2）へ移行する」と宣言した。今二〇年三月にも、「地方独立行政法人化」（以下「独法化」）への道筋と運営をもりこんだ「新たな都立病院運営改革ビジョン」の決定を策している。都立の八病院で働く公務労働者七〇〇〇名の身分保障の権利を剥奪する一大攻撃だ。

昨年、政府・厚生労働省は、「地域医療構想」（『解放』第二四四八号の永山吉里子論文参照）にもとづく病床削減が遅々として進まないことに業を煮やし、急性期病棟削減のターゲットとして全国四二四（その後修正して四四〇）の公立・公的病院を再編・統合すべきところとして名指しで公表した。今回の小池による「独法化」の表明は、「地域医療構想の成否を左右する」といわれる全国の公立・公的病院の再編・統廃合を東京都が先導しようという号砲にほかならない。と同時に都労連、都庁職の労組破壊をねらう攻撃でもある。われわれはこの攻撃を絶対に許してはならない。

「独法化」による独立採算の強制

小池都当局が、都立病院の経営形態を民間並みの経営が可能となる「独立行政法人」へと改変する方針をうちだしたのは、都立病院の経営・運営にかかわる都の財政負担を徹底的に削減するためにほかならない。これまで都当局は都の一般会計からの病院事業会計への繰入金(補助金)を削減するために、各都立病院当局にたいして執拗な「収益向上」「自己収支比率」の改善を号令してきた。「世界でもっともビジネスがしやすい都市」をめざす都知事・小池は、「三人に一人が六十五歳以上となる」二〇四〇年代の「超高齢化社会」を前にして、このままでは病院事業補助金など医療費関連の急速な増大が都の財政を圧迫し、東京の産業基盤の〝将来の要〟と期待する5G(第五世代移動通信システム)やAI(人工知能)を活用・開発するIoT(モノのインターネット)関連企業などの支援(スマートシティ構想のもと都

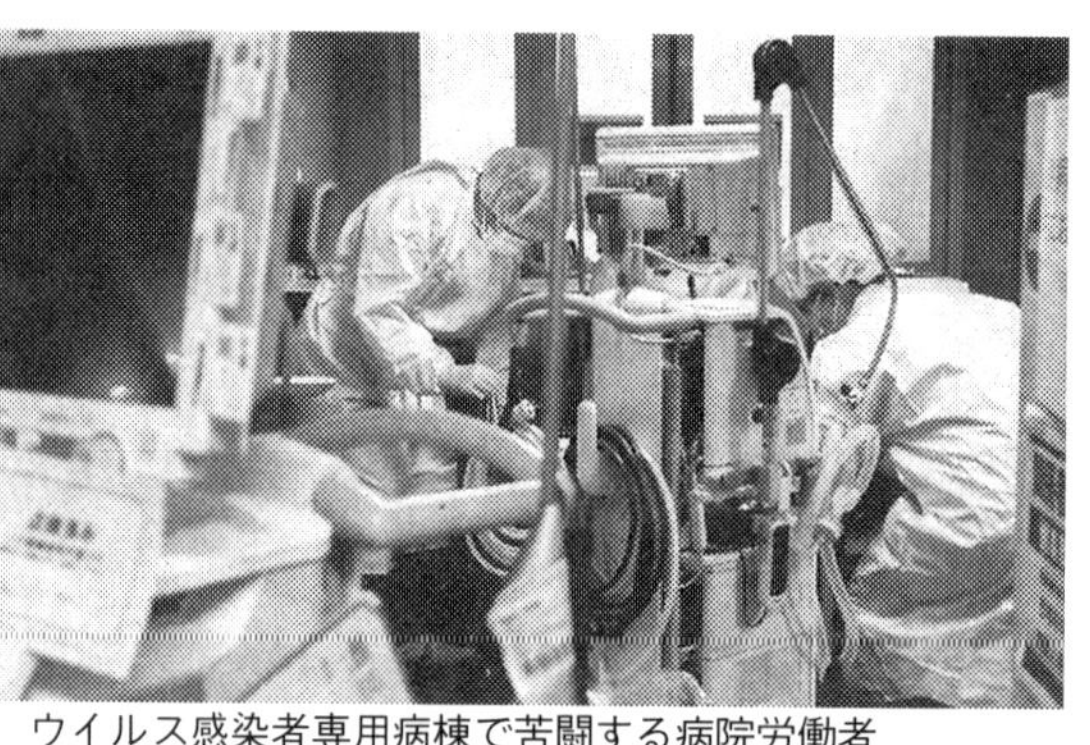

ウイルス感染者専用病棟で苦闘する病院労働者

の行政システムのICT化にも寄与させる)のための財政支出の足かせになるとの危機感を募らせている。それゆえに、なんとしてでもいま病院事業の「独法化」を強行しようとしているのだ。

都当局はこれまでも、「収益向上」のために徹底的な人員抑制とコスト削減施策を強引におしすすめ、都立病院で働く労働者に極限的な労働強化を強いてきた。しかし、それでもなお不十分であり、さらに人件費を減らすべきだとみなして大幅に賃金総額を削減するために、自治法・地方公務員法の法的な制約(定数・賃金・財政面)をとり払おうとしているのだ。

「独法化」された場合には、「法人」当局は、「柔軟な雇用」の名のもとに、正規職員の非常勤、臨時職員化の促進、特定の医師・専門職への年俸制・任期制などの導入、効率的に働かせられる勤務時間の設定、さらに賃金支払い形態を、年功給的要素を一掃した成果・業績型の賃金支払い形態へと改変することが可能となるのだ。「法人」当局は、独立採算を達成するために、独自に策定した「目標による管

理と評価制度」にもとづき、病院間・診療科間で業績を競わせるだけでなく、賃金支払いとリンクさせた目標管理型の労務管理を徹底化させて労働者間の競争をあおりつつ、医療労働者にさらなる労働強化を強制するにちがいない。

都立病院などの公立・公的病院は感染症をはじめ周産期・災害・救急など民間医療機関では採算がとれない「政策（行政的）医療」を担うことを法令上定められている。許せないことに、都当局はこうした不採算の「行政的医療」にかかわる都の財政負担をも、より削減するために、「独法化」をおしすすめようとしているのだ。これは医療労働者に賃金引き下げ・労務管理強化・労働強化をもたらすだけではない。地域住民にも犠牲を強いることになる。すでに「独法化」された病院では、病院を利用する労働者・人民にたいして、差額ベッド代、分娩料、入院保証金などの医療費の負担増を押しつけたり、採算がとれない患者とみなした場合、受け入れを拒否する事例すら生みだされているのだ。

都全域の公立・公的病院の大再編・統廃合

政府・厚労省は、国家財政からの医療費総額の支出を削減するために、公的保険適用の医療費がかかる入院をできるだけさせないこと――とりわけ高齢者は在宅で療養させること――、を企んでいる。このような「時々入院・ほぼ在宅」ですごす高齢の病人・要介護者を「支える」ものと称して「地域包括ケアシステム」（本誌第二八七号の仙道茜論文参照）なるものの構築を謳っている。これは高齢者の入院をできるだけ避けさせ、在宅で「老老介護」や「在宅みとり」などを強いるための訪問看護・介護、デイサービスなどの〝手当て〟のシステムなのだ。高価な薬剤や器具をつかったり集中的な治療・処置・手術をしたりするいわゆる「急性期医療」は、高齢者にはほぼ「不要」とみなしている安倍政権は、団塊の世代がすべて七十五歳以上となる二五年までに、なんとしてでも急性期病床の削減を強行しようとしている。

　こうした安倍政権の施策に呼応して、小池都当局は、〝住み慣れた地域で最期を迎える〟との美名のもとに、患者を病院からできるだけ早く〝看る人もいない〟在宅へと追いやる——、この在宅への移行を〝円滑〟にすすめるための地域の中核病院として、公社病院を位置づけている。この「地域医療」を主に担う公社病院と「行政的医療・高度専門医療」を担う都立病院とを一体化させることによって、より「効率的・効果的な」経営が可能となるというのだ。

　要は、知事が任命権をもつ地方独立行政法人の理事長の専断で、都議会の審議を経ることなく病院の病床機能の変更、診療科の変更・廃止などが、いつでも〝フリーハンド〟で強行できるということにほかならない。全国にも例のない規模の都立・公社の十四病院を一体化した「地方独立行政法人東京都病院機構(仮称)」の設立こそは、徹底した「経営効率第一」主義の経営方針をとり、現在の十四病院を大再編して、一部の病院は病床の縮小・廃止を強行することをねらったものにちがいない。

　安倍政権は〈軍事強国〉として日本を飛躍させるための財政基盤の確立を策しており、国家財政からの社会保障費の支出をなんとしてもおさえようとしている。この政権は、「骨太方針二〇一九」において、〝公立病院の医療内容について見直し、可能なかぎり民間医療機関に代替させ、再編・統合すべき〟との強権的ともいえる指令を全国自治体当局へ発した。これにいち早く呼応しようとしているのが、今年七月の知事選を控え、自民党支持層の獲得をもねらう政治屋・小池だ。都当局は、都立・公社病院の「独法化」の強行を突破口に、都全域における公立・公的病院の再編・統廃合を加速させようとしているのだ。

　われわれはいま、都当局が強行しようとしている「独法化」の攻撃が安倍政権による「超高齢社会到来」をまえにした社会保障費の大削減を断行するための反動的諸政策にもとづく攻撃と一体のものであることを徹底的に暴きだし、全国の自治体労働者とともに公立・公的病院の再編・統廃合反対の闘いを大きくつくりだすのでなければならない。

都庁労働者の大削減を許すな！

都知事・小池は、「地域医療構想」にもとづく病床の大再編を断行することをねらっているのだ。そして七〇〇〇名におよぶ都立病院の職員を削減し、都の職員定数の切り捨てを策しているのだ。

政府・総務省は「自治体戦略二〇四〇構想」で「AI、ロボティクスを使いこなす半数の職員で担う自治体」の範を提示し、各自治体当局へ極限的リストラを迫っている。安倍政権のこの方針にも促迫されて都当局は都立病院の「独法化」の強行を皮切りに、水道、交通部門の大量人員削減の強行・民営化に突き進もうとしている。すでに都水道局は今後二十年間で政策・立案部門を除く営業、技術部門のすべての業務を「外郭団体」に委託する方針を決定した。たたかう都庁労働者の力を結集して小池都当局による都立病院の「独法化」、公営企業事業の民営化の一大攻撃を阻止しよう。

われわれはまた警戒しなければならない。都知事・小池は「独法化」によって、三万人を超える組合員を擁する都労連の組織破壊をもねらっているのだ。都労連内部でたたかう革命的・戦闘的労働者の奮闘によって、対都当局の闘争のみならず、〝憲法改悪阻止〟をも掲げている都労連にたいして、その破壊を企てているのが、安倍日本型ネオ・ファシズム政権の手先であり、安倍と気脈をつうじている都知事・小池なのだ。都労連傘下の全労働者の団結をうち固め、組合破壊攻撃を打ち砕こう。

自治労連日共系幹部は、「都民との共同」を掲げ、闘いの一切を都知事選にむけた集票運動にねじ曲げている。日共系指導部による闘争歪曲をのりこえ「独法化」阻止の闘いを職場からつくりだそう！

註1　「公社病院」は、東京都保健医療公社が運営、東京都が九七％、残りを医師会・歯科医師会が出資する東京都独自の運営形態。当初二病院で開設し、二〇〇二年、当時の都知事・石原慎太郎がうちだした〈都立病院の再編統合案〉で〝地域医療は都立病院が担う必要はない〟として当時十六都立病院のうち四病院の公社への移管を強行した。現在六病院。

註2　「地方独立行政法人」は小泉政権下で「行政改革」の最も有効な手段として〇三年「行革大綱」で「制度」の創設が決定された。行政の企画部門と実施部門をきりはなし、実施部門とされる事務・事業について、アウトソーシングできる稀代の手法だ。一八年には、それまで法制度上できなかった「公権力行使」にかかわる自治体の戸籍等窓口関係業務の民間委託について、法制度をすりぬけるために地方独立行政法人法を改悪した。

（二〇二〇年三月十五日）

〔追記〕　安倍政権の感染症対策の大失策によって、新型コロナウイルスの感染が拡大しつづけ、首都圏の少なからぬ医療機関において、院内感染が次々と発生している。医療崩壊の危機がいや増しに高まるさなかの三月三十一日、小池・都当局は「コロナ禍」の危機的医療体制にまったく触れることなく、「二〇二二年度内を目途に、都立・公社病院を運営する地方独立行政法人を設立する」という「独法化」への移行時期を明示した「新たな病院運営改革ヴィジョン」を一方的に決定し発表した。

いま、都立・公社病院の医療労働者は、依然としてマスク・ガウンなどの防護具の不足が続くなかにあって、みずからも感染の危険にさらされながらも、感染爆発を瀬戸際でくい止めるために、心身をすり減らして日夜奮闘している。こうした最前線で働く医療労働者の苦闘に一片の思いも馳せることなく、常にベット数を超えておし寄せる感染症患者への対応で混乱する医療現場の危機を感覚できない完全に浮き上がった姿をさらけ出したのが、都知事・小池なのだ。来たる都知事選にむけてメディア露出にうつつを抜かす小池は、『2025年の地域医療構想実現』に対応するために、『独法化』の準備を開始せよ」などと号令しているのだ。いま、医療現場では「この非常事態のさなか、〝火事場どろぼう〟じゃないか、絶対許せない！」などの怒りと反発の声が広範に渦巻いている。

小池・都当局は、今日の医療崩壊の危機を招いた元凶である安倍政権に呼応し、あくまでも「独法化」方針を強行しようとしているのだ。安倍政権は、いまも全国の公立・公的病院の統廃合を企て、急性期病床の削減を強行しつづけた施策を変えようとはしていない。われわれは、遮二無二「独法化」に突き進む小池・都当局にたいする医療労働者・都庁労働者の怒りを、「反安倍」の怒りとともに結集し、これを階級的憤怒に高め、今こそ労働者階級の階級的団結を強化するために奮闘しようではないか。

（二〇二〇年四月三十日）

苦闘する介護労働者

マスクがない　人手もない　感染対策の教育もない！

全国の新型コロナウイルス感染者数はすでに一万三〇〇〇人を超えた（二〇二〇年四月二十三日）。医療労働者たちが当初から警鐘を乱打してきたとおり、もはや医療崩壊といわざるをえない現実にたちいたっている。この危機の最中に首相・安倍晋三は、〝医療従事者を助けるため〟と称して、自身の〝自宅でくつろぐ動画〟を披瀝した。医療従事者のためなどと、よくも言えたものだ！　この危機を招いたのは誰だ！　ほかならない安倍政権ではないか！

介護の現場においても、〝介護崩壊〟ともいえる危機が切迫している。通所施設（デイサービス）に通ってくる高齢者が減って、倒産する介護事業所がではじめている。また、利用者への感染を防止できないことを理由に、全国で八〇〇件以上のデイサービスが休止している。

介護の入所施設も新たな問題に直面している。いま政府・厚生労働省は、入所する利用者の新型コロナウイルス感染が疑われる場合にも介護の入所施設においてひきつづき利用者を看護・介護させようとしているのだ。

政府・厚労省は、新型コロナウイルスの感染が疑われる者のケアにあたるときには使い捨ての手袋とマスク（場合によってはゴーグルや使い捨てエプロン・ガウン）を使用することや消毒を徹底することを介護事業所にたいして通達した。

だがいったい、使い捨て手袋とマスクや消毒液を十分に確保できる介護施設がどれだけあるというのか！

いわゆる「アベノマスク」は、介護事業所にも送られてはきたが、汚れが付着していて古びた様子であった。それだけではない。あまりに小さすぎるがゆえに、利用者のケアにあたる労働者が、食事介助や清拭やおむつ交換をおこなうときに利用者にたいして声かけをするたびに、マスクが上に下にとズレてしまい鼻や口が剥きだしになる。しかも、この形のマスクは圧迫感があり、使っているとすぐに息が苦しくなる。それでいてウイルスを遮断する効果はなんらない。「アベノマスク」をつけると、感染が防止されるどころか介護業務が妨げられるのだ。介護職場においては、このような愚策を弄した安倍政権にたいして、囂々たる怒りの声が巻きおこっているのである。

マスクや消毒液が不足しているだけではない。「感染の疑いのある」あるいはその「濃厚接触の疑いのある」利用者のケアを（他の利用者のケアとは別にして）担当する労働者を固定するローテーションにしろと、政府・厚労省はいう。だが、日常業務以外に特別の人員配置ができる人員をいったいどうやって確保しろというのだ。ただでさえ人手不足の介護職場において、介護労働者はすでにぎりぎりの人員で極限的労働強化を強いられているのだ。

しかも、「感染の疑いのある」あるいはその「濃厚接触の疑いのあ

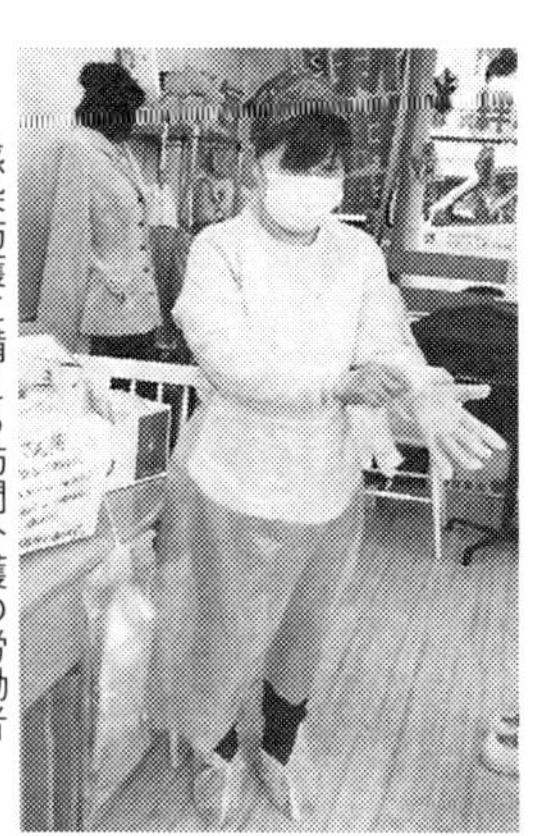
感染防護に備える訪問介護の労働者

る」利用者をケアする場合には、ケアにあたる介護労働者じしんと、他の利用者や介護労働者に感染が広がらないようにするために、マスク・手袋・予防着の着脱そして手洗いなどの厳密な対策をおこなう必要がある。予測しづらい動きをする認知症の利用者に密着して介護をする介護労働者が感染を防ぐためには、医療労働者にまさるとも劣らぬように感染防止の技術を身につけねばならない。だが、そのような研修・教育を介護労働者が受けられるようにすることなど、まったく計画もしていないし想像だにしていないのが政府・厚労省なのだ。

超長時間労働を強要

政府・厚労省が新型コロナウイルス感染の対策であるかのように介護事業所にたいしてうちだした、唯一の〝支援〟策。それは、新型コロナウイルス感染対策は、〝災害等による臨時の必要がある場合に法定の労働時間を延長して労働者に労働させることができる〟（労働基準法第三三条一項）という労基法の規定の「臨時」にあたるとしたことである。また、新型コロナウイルス感染対策は三六協定の特別条項の「臨時的な特別の事情」にあたり、経営者が労働者を限度時間を超えて働かせることを認めるものである、としたのである。

この厚労省による通達をタテにして、介護事業所経営者どもは、「感染対策」を名目に介護労働者にたいしてさらなる超長時間・超強度の労働を強いようとしている。

また、デイサービス部門の休止にふみきった経営者どもは、パートや契約などの非正規雇用労働者の雇い止めや一時帰休に狂奔している。正規雇用労働者にたいしては、訪問介護や入所施設での介護といったデイサービスとはまったく異なる職場への配転を一方的におしつけているのだ。

介護現場においてたたかう革命的・戦闘的労働者は、安倍政権の反労働者性が赤裸々に明らかとなっているこの決定的な局面において、「反安倍政権」の闘いを職場から組織するために奮闘している。いまこそ、労働者の階級的団結を強固にうちかためるために、全力でたたかおうではないか！

特集　新型コロナ禍　反安倍政権の炎を

臨時休校のもとで苦闘する教育労働者

日比成二

二〇二〇年五月四日、安倍政権は新型コロナ特別措置法にもとづく「緊急事態宣言」の実施期間を五月三十一日まで延長することを決定した。特別警戒都道府県に指定されている首都圏の学校現場では、教育労働者が、まさにいつ終わるともしれない感染拡大と小中高のすべての学校の長期臨時休業という異常事態のもとで日夜奔走している。感染の危険にさらされ、閉じこもり生活を強いられてストレスをためこみ、心身の不調に陥る子どもが多数生みだされている。また、学校給食が休止となり昼食を満足に食べられない子どもも少なくない。教育労働者は、こうした子どもたちの様子や安倍政権による〝補償なき休業要請〟のもとでの保護者（労働者・自営業者）の経済的苦境に心を痛め、そして安倍政権・文部科学省のあまりにもおざなりの感染対策や学校現場の現実を無視した指示に怒りにふるえている。

いま政府・文科省は、「学習の遅れを出すな」「臨時休業中でも公教育の役割を果たせ」などとあくまでも学力向上に邁進することを教育労働者に号令している。彼らは新学習指導要領に盛りこまれた「愛国心」教育やＩＣＴ（情報通信技術）・外国語教育が遅滞することへの危機感にかられ、「家庭訪問をやれ」「電話を使え」「学習成果を報告させよ」、そして「分散登校日を実施して学習の遅れを取り戻せ」といった無理難題を、現場の教育労働者に押しこんでいるのだ。しかもこの機に、独占ブルジョアジーが要求している「ＩＣＴ教育」を推進するために巨額の経済対策をうちだし、「ＩＣＴの最大限の活用」を教員に指示している。これによって「オンライン教育」のサービスや機器の爆発的な需要増に期待し沸きたっているのが教育産業や情報通信産業、電機産業などの独占資本家どもである。まさに教育労働者や子ども、保護者の苦境などそっちのけなのが安倍政権と独占資本家どもにほかならない。他方で、このネオ・ファシスト政権は、児童生徒や教職員の感染防止のための十分な備品の支給はおろか、教員・用務職員などの要員の加配も予算措置もいまなおおこなおうとはしていないのだ。

すべての教育労働者諸君！　今こそ、要員の加配と感染対策に必要な物品の即時・十分な支給を政府・自治体に要求しよう！　学校再開後の労働強化・長時間労働の強制を許すな！　民間委託・派遣の学校用務職、司書職、給食労働者にたいする雇い止めや賃金補償なき勤務日数・労働時間の大幅短縮強制を許すな！　反動的な新指導要領の実施を最優先する安倍政権を弾劾しよう！　困窮に突き落とされているすべての労働者・人民と連帯してたたかおう！

1　「学習に遅れを出すな」と号令する政府・文科省

文科省は首都圏の教育労働者の臨時休校期間中の勤務について、「原則自宅勤務」「出勤は最低限の人数で」と指示している。そして同時に、児童生徒の生活状況の把握と「きめ細かな学習指導」をおこなうように再三にわたって「通知」している（三月二十四日の「学校休業ガイドライン」や、四月十日、二十一日、五月一日の初等中等教育局長の「通知」）。彼らは、

「主たる教材たる教科書に基づく家庭学習を課すことが求められる」と念押ししつつ〝家庭学習といえども学期中と同様に検定教科書・指導要領どおりに指導せよ〟と叫んでいるのだ。そしてその手段として、「分散登校日」の実施による学校教育活動の段階的再開、家庭訪問の実施、電話の活用などを提示するとともにオンライン教材やウェブ会議システムなどの「ＩＣＴの最大限の活用」を学校現場に強力に要求しているのだ。

a 「学校休業」で次々に発生する新たな業務

だが、休校中の児童生徒の家庭学習に遅れを出さないようにきめ細かく指導せよ、などという文科省の指示は、学校現場の現状をまったく無視した理不尽きわまりないものにほかならない。

「在宅勤務」においても教育労働者は、学校再開のための多くの準備業務を強いられている。時間割のつくり直し、教材研究の再考、人員配置の組みかえ、さらにすべて二学期に先送り実施となった校外学習、宿泊行事、運動会、修学旅行などの計画の練り直しや種々のキャンセル手続（さらに学校によっては授業動画づくり＝「オンライン教材」づくりも業務となっている）など、実に多くの業務をこなさなければならない。しかも出勤時は、地域によって違いがあるとはいえ、二勤二休、二割勤務、あるいは管理職と教諭の少人数当番制というようなかたちでの「最低限」の人員で学校の業務をこなさなければならない。

首都圏の多くの小学校では、共働き家庭やシングル家庭の子どもの居場所を確保するための「特別登校」（教室での子どもの「預かり・受け入れ」）や「校庭開放」を実施している。これらを、子どもたちが「三密」状態をつくらずに運動するように指導し、近距離での会話・発声をやめさせ、マスク・手洗いを励行させ、かつ手すり・ドアノブ・電灯スイッチなどをエタノール消毒して実現しなければならない。これらのことを文科省は、「学校再開ガイドライン」に定めその遵守を命じているのだ。

さらに保護者への連絡事項、学校への相談・クレーム対応も日々発生する。障がいをもつ子どものための特別支援学級のばあいには、児童の「教室預かり」は身体接触なしにはなりたたない。教育労働者は子どもたちにウイルス感染させるのではないかという不安にかられながら毎日「預かり」をしなければならない。だが、次々と発生するこれらの新たな業務負担を解決するための人員はまったく不足している。現場の教育労働者からは「校庭に子どもが五十人も集まればお手上げだ」「いったい『休業』とは何のことだ！」と悲鳴があがっているのだ。

まさに子どもの感染防止のために神経をすり減らし、かつみずからを感染の危険にさらす・多岐にわたる教員の臨時業務を度外視して、ただただ学力の維持・向上のために「家庭学習の指導」も遅滞なくやれなどというのはまったく許しがたいではないか！　感染を恐れる保護者がもっとも嫌忌する家庭訪問をやれとか、ほとんどすべての学校に備わっていないウェブ会議システムを使って子どもと双方向で指導しろとかというのは、政府・文科省官僚の寝言といわずしてなんというのか！　いや、今年は入学式も始業式もとりやめ・ないし簡略化され、児童生徒たちがクラス担任教員と会話も顔合わせも一度もできていない（小学一年生も！）学校がほとんどである。この特殊な条件のなかでも電話やメールで児童生徒の学習状況・心身の状態さらにはＤＶ（ドメスティック・バイオレンス）や虐待の兆候まで確認できるなどと考えるのは、教室でつくられる教育労働者と児童生徒との信頼関係について何も知らないか、ウェブやスマホを使えば何でもできると思いこむＩＣＴ物神崇拝かのいずれかである。

さらに文科省は五月一日以降、学校休業中でも「分散登校日」を実施して「段階的に学校教育を再開」せよと声高に叫びはじめている。小六、小一、中三の三つの学年だけ登校回数を優先的に増やす、あるいはクラスを分割して曜日や時間をずらして登校させるなどして一つの教室に集まる子どもの人数を減らすというのが、この「分散登校日」なるものである。これは、教育労働者に複数学年・複数クラスの担任を兼務させることなしにはなりたたない。教育労働者が主体化しなければならない教育内容も授業負担も激増することを大前提にしたものなのだ。

こうした無理難題を教育労働者に命じながら文科省が現実にやったことは、一人あたりたった二枚の布マスク（かのアベノマスクと同じ大人の用には供しえないもの）を教職員・児童生徒に配布する、ただこれだけではないか！

b　学校再開後の長時間労働の強制を策す

しかも学校再開後には、学業の遅れを取り戻すために放課後の補充授業や個別の補習、土曜授業の実施、長期休業期間の短縮、などが実施される。このことはすでに文科省の「学校再開ガイドライン」に明記され、既定方針化されている。この文科省の意向をふまえ四月早々から「最低でも七月いっぱいは授業だ」と夏休み返上を宣言する校長も現れた。文科省や教育委員会・管理職は、出勤日の増加や労働時間の延長を当然視しているのだ。これにたいしては、職場からは「一年間の変形労働時間制」の先取りではないか、という声までもがあがっている。残業代ゼロ・働かせ放題の「給特法（教育職員の給与等に関する特別措置法）」をこのときとばかりに活用し、学校再開後には長時間の超過勤務を強制しようというのが文科省なのだ。こうして教育労働者も子どもも、よりいっそう疲労困憊させられようとしているのだ。

しかも高校では、通常七月には企業からの求人票が学校に届き、九月から就職活動が本格化する。だが〈パンデミック恐慌〉のもとで生徒の就職活動はかつてない困難に直面している。安倍政権が中小企業にたいする切り捨て政策をとっており、そもそもどれだけの数の求人があるのか、生徒の希望する企業・職種の求人はあるのか、まったく予測もつかなくなっている。例年九月に始まる私立大学の推薦入試やAO入試はおろか大学入学共通テスト（新テスト）の実施も危ぶまれるなど、大学入試の日程や実施方法も不確かになっている。こうした厳しい状況におかれ将来への不安にかられている生徒たちへの進路指導は、教育労働者にとっても新たな・大きな悩みであり、教育労働者は心身ともに重圧におしつぶされそうになっているのだ。

これら教育現場が直面する深刻な問題をすべて先送りし無責任を決めこみ、ただただ「教科書どおりに教えよ」「ICTを使え」「遅れを出すな」と教育労働者に号令しているだけなのが安倍政権・文科省にほかならない。しかも、彼らが東京都知事・小池百合子や大阪府知事・吉村洋文らと「九月入学を実施せよ」「グローバルスタンダードへの移行のチャンス」などとはしゃいでいるのは、あまりにも度し難いというべきである。

c　新学習指導要領の実施に固執

文科省は〝教育を受ける権利は「憲法第二十六条」に規定されている〟〝「国家社会の形成者」をつくることは「教育基本法」に明示されている〟〝「教育の機会均等」を確保せよ〟と教育労働者を恫喝する「通知」を発した（四月二十一日付の初等中等局長の「通知」）。このなかで文科省は、教育委員会や校長に臨時休業中の「学習指導等の取組状況」を「チェックリストを使って報告せよ」などと〝教員取り締まり〟のような命令までもおこなっている。文科省は、教科書どおりに「家庭学習」を指導することやICTの活用が遅れていることに苛立ちをつのらせているのだ。

文科省がいま、「家庭学習」の遅滞のない指導をゴリ押しするのは、「愛国心」教育・ICT教育を核心とした安倍肝いりの新指導要領（今年度から小学校で全面実施。中学は来年度、高校は再来年度であるが、その一部は先行実施されている）を絶対にゆるがせにさせないためであることは明らかだ。安倍政権は、〈パンデミック恐慌〉下の労働者に困窮を強いながら、五兆円を超える軍事費も米軍駐留経費負担増もアメリカ製兵器の爆買い経費も決して見直そうとはしない（かの国民一人一〇万円給付を、「一二兆円もかかる」「国債発行で財政赤字が膨らむ」などと、カネをドブに捨てることででもあるかのように言ったのが副総理の麻生太郎である）。この莫大な軍事費を聖域として安倍政権は、日本国家を「アメリカとともに戦争をやれる国」へ飛躍させるために突進している。この軍事強国・日本の〝臣民〟を育成するための「愛国心」教育こそが、新指導要領の柱の一つである。そして米・欧・中などとの国際的な先端技術開発競争にうちかち、日本企業の「付加価値」創造に貢献する「人材」(「デジタル人材」とか「イノベーション人材」とかと称するそれ)を育成することが、もう一つの柱である。

これら独占ブルジョアジーの求める「人材」を育成するための外国語やデジタル技術の教育、そして「愛国心」の涵養を初等教育段階から子どもたちに施すことに「著しい遅れ」を来たすことだけを懸念しているのが安倍政権にほかならない。

d 独占資本のための「最大限の ICT活用」

政府が緊急事態宣言を発した四月七日に「文部科学省 緊急経済対策パッケージ」が発表された。「学校再開に向けた」支援策と謳うこの「パッケージ」は、安倍政権の「緊急経済対策」で文科省に配分された二七六三億円の予算のうち実に八三%の二二九二億円を学校の「ICT環境整備」にあてるというべき予算措置である。記者会見で文科相・萩生田光一は、ICTで「すべての子どもの学びを保障できる環境をつくる」などと称して、ウェブ会議システムの導入やオンライン教材の利用のための通信環境の整備、そして「義務教育段階の一人一台端末」の実現などの意義を得々と語った。だが、現場の切実な要望である教員の加配人数について記者から質問されたこの男は、「具体的な人数を割り戻しするのは難しい」などと言い放ち、教員増員などおよそやる気がないことを隠そうともしなかったのだ。

萩生田はこの「パッケージ」を臨時休校となった子どもの学習支援のためだとおしだしている。だが、この「パッケージ」の主要部分である「ICT環境整備」の内容は、新型コロナが国内で問題になる以前の昨年末に文科省が策定した「ＧＩＧＡスクール構想」（註）を二年程度前倒ししたものであり、もともと学校の臨時休業とはなんの関係もないものなのだ。安倍政権は、日本独占資本がＡＩ（人工知能）・ビッグデータ活用、ＩｏＴ（モノのインターネット）技術の開発において諸外国に劣後している現状を打開するために策定した計画の早期実施を求める独占資本家の意を受けて、学校の臨時休業を活用しようとしているのだ。

文科省は「デジタル人材」の育成に遅れを出さないために「ＩＣＴの最大限の活用」を教育現場に押しこもうと躍起となっている。彼らはいま現在、学校や子どもの家庭にＩＣＴの通信環境がいきとどいていないことは重々承知している。それにもかかわらず、ＩＣＴ活用・遠隔授業の扱いに子どもも教員も馴化させ習熟させるために、ＮＨＫのＥテレの視聴、文科省作成のオンライン教材の視聴など、いまできることをとにかくやれ、と号令しているのだ。現場の教育労働者からの「通信環境が不公平では教育格差が拡大するだけだ」「一方通行のオンライン授業では学習についていけない子どもが大幅に増える」「子どもの貧困の解決や感染防護が先だ」という批判にもまったく耳を貸さないのが文科省である。まさに現下の学校現場における教育労働者の苦境とはかけ離れたところで「教育のＩＣＴ化」を叫び、巨額の血税を投じようというのが安倍政権・文科省にほかならない。

2　さらなる生活苦に突き落とされる労働者家庭

安倍政権や自治体当局は、学校休業で一日を自宅で過ごす子どもの世話をすべて家庭に丸投げしている。だが学童保育も全面休止、あるいは受け入れ対象を「世帯全員」（！）が社会的インフラ事業（医療、警察、消防、自衛隊のみ）に従事している家庭の子どもに限定している自治体が多く、しかも感染者の多い地域では学校での「預かり」も実施していない。共働きやシングルマザーの家庭は、子どもの見守りのために休職・離職を余儀なくされ一気に生活苦に突き落とされているのだ。政府はこうした親への休業補償をおこなう企業には「雇用調整助成金」を支払うと宣伝してはいる。だが現実にはこの「雇用調整助成金」の支給が決定した企業は数少ない（四月二十四日現在二八二件）。企業が補償の一部を負担するという制度であるがゆえに、そして手続きもあえて煩雑につくられているがゆえに、経営者はハナからその利用を申請しないのだ。

いやそもそも〈パンデミック恐慌〉が吹き荒れるもとで、悪辣な資本家は労働者に重犠牲を強要している。自動車・鉄鋼などの大企業が工場の操業停止、製鉄所休止・閉鎖などの大リストラ攻撃にうって出ており、その下請け・孫請けの中小・零細企業労働者も解雇、一時帰休などの攻撃にさらされている。そのうえ安倍政権が、休業した商店や飲食店や諸々のサービス業などの自営業者に休業補償をしていないがゆえに、生活困窮者が大量に生みだされている。子どもをもつ家庭はどんどん窮地に追いこまれているのだ。

「世帯あたり現金三〇万円給付」を撤回に追いこまれた安倍政権は、「全国民一律一〇万円給付」をおずおずと出しなおした。だが、ただ一回限りのこの超低額給付では、子どもをかかえた家庭の生活補償になりはしない。いや自殺者まで生みだされ、一刻の猶予もないこのときにも、安倍政権は給付をいっこうに急がず増額も否定しているのだ。

それだけではない。学校休業で家に閉じこもるしかない子どもたちが、テレワークで、雇い止めで、出勤削減で在宅中の親から虐待を受けるケースが激増している。学校給食の休止も貧困家庭においては死活的な問題である。いま生命の危険にさらされる子どもが多数生みだされているのだ。文科省は口では「子どもの居場所を確保せよ」などと言ってはいる。だが子どもの受け入れ先である小学校（や学童保育施設）には予算も人員も備品も食事もまったく手当てせず、ひたすら「教育のＩＣＴ化」のために湯水のように血税を投じているのだ。

困窮人民を切り捨てる安倍政権を打ち倒せ！

日教組本部はこのときに、教育労働者や保護者の切実な要求をくみあげることもせず、ただ文科省の「学校再開ガイドライン」や「緊急経済対策パッケージ」に期待を寄せてきたにすぎないではないか！　安倍政権が〈パンデミック恐慌〉の犠牲を教育労働者、そして児童生徒・保護者（労働者）に強いているこのときに、彼らがやったことは日教組推薦の国会議員への要請行動だけであり、政府・文科省への抗議すらしてはいないのだ。文科省を「パートナー」とみなす日教組版労使協議路線の錯誤は明らかではないか！　しかも、新型コロナ感染拡大を利用して安倍政権が「緊急事態条項」を創設する憲法改定を鼓吹していることにたいするなんの危機感もないのが日教組本部である。彼らは組合員のなかから改憲反対の声をつくりだすこともまったく放棄しているのだ。

今こそたたかう教育労働者は、労働者を困窮に突き落とす安倍政権に反撃しよう！　学力向上・ＩＣＴ教育推進を叫ぶ安倍政権・文科省の反人民性を暴きだせ！　すべての労働者との団結を創造し、改憲に突進する安倍政権を打ち倒そうではないか！

註　この「ＧＩＧＡスクール構想」では、大容量通信の遠隔授業で全国一律に高度な教育を提供するとか、児童生徒の学習履歴・健康状態・人間関係をビッグデータとして蓄積し個々に「最適化」した教材をＡＩが選定するといったデジタル技術の活用が謳われている。電機産業や携帯電話大手三社、リクルートやベネッセ、さらにはオンライン教育で先行する大手予備校などの教育産業がこぞって遠隔教育システム構築、オンライン教材の作成、通信容量の無償拡大などをアピールして「ＧＩＧＡスクール構想」に参入しようとしている（文科省が「連携」するという経済産業省の「ＥｄＴｅｃｈ」構想も、ＡＩを活用した個別最適化学習プログラムなどのサービスを提唱するものである）。

感染の爆発的拡大を招いたトランプ

「医師・看護師を守れ」（ホワイトハウス前）

全世界的に新型コロナウイルス感染が爆発的に拡大しているなかで、突出して世界最大の感染者と死者を出しているのがトランプのアメリカだ（二〇二〇年四月二十八日に、確認された感染者は一〇〇万人を超え、死者が約六万人に）。安置場所も埋葬場所も足りず、遺体を配送用の冷蔵トラックに詰めこんで保管せざるをえないという事態が現出している。しかも、三月十三日以降の五週間で失業保険申請が三〇〇〇万件を超えた（労働人口の五分の一！）。職も住居も失って路頭に迷わされ、感染死の危険にさらされている労働者・人民が激増しているのだ。

こうした悲劇的事態は、新型コロナ対策におけるトランプ政権の犯罪的対応によってこそもたらされているのである。ところが「消毒液を感染患者に注射したら面白いんじゃないか」(四月二十三日)などという無責任きわまりない言辞を吐きちらしているのが大統領トランプだ。困窮と感染による生命の危機にさらされ苦しんでいる労働者・人民を蹂躙し見殺しにするトランプ政権を怒りを込めて弾劾せよ！

1　労働者・人民に失業と貧窮と感染死を強制

いま大統領トランプは、「感染のピークは過ぎた。アメリカは経済の再開を望んでいる」などと称して、感染拡大抑止のために制限してきた経済活動の再開に突進している。アメリカで今まさに新型コロナ感染が拡大しつづけ連日二〇〇〇人以上の人民が命を落としているこのときに、だ。今二〇年秋の大統領選挙で再選をかちとるために「経済のV字回復」を演出することにのみ執着し、労働者・人民が生命の危機にさらされることなどなんとも思っていないのがトランプなのである。「死者が二〇万人以下なら非常にいい仕事をしたことになる」(三月二十九日)などと言い放った人非人ぶりを見よ。

アメリカで初の感染者が確認(一月二十一日)されて以降、トランプは「四月までにウイルスは奇跡のように消えてなくなる」などとほざきながら、ほぼ二ヵ月間にわたって本格的な対策をとろうとしなかった(三月十三日に「国家非常事態」を宣言)。経済活動が停滞・停止することを拒否したトランプが感染対策を遅れに遅れさせたことが、アメリカにおけるアウトブレイクを招き寄せ、おびただしい労働者・人民を新型コロナ肺炎による死においやったのだ。

アメリカにおける死者の過半は黒人・ヒスパニック、移民労働者が占めている。シカゴ市やルイジアナ州では黒人が死者の七割にも達する。都市部に住む黒人・ヒスパニックの大多数が「エッセンシャル・ワーカー」と称される生活基盤を支える職業に就いているがゆえに外出制限下でも出勤せざるをえず、貧困ゆえの慢性的な栄養不足、肥満などの健康障害をも抱えていることからして、感染し重症化する危険に日々さらされている。しかも、多くが無保険者であり、法外に請求される治療費を払うことができない（無保険で新型コロナ治療を受けると四七〇万～八二〇万円も請求されてしまう）。このゆえに、たとえ感染が疑われたとしてもPCR検査（ウィルス遺伝子検査）も病院での治療も最初からあきらめざるをえないのである。黒人・ヒスパニックの貧困層をはじめとする無保険の労働者・人民は、重体になってからER（緊急救命室）に担ぎこまれ、不足している人工呼吸器を装着する順番を待たされながら次々に命を落としているのだ。

全世界的なサプライチェーンの寸断とアメリカ全土での都市封鎖によって経営危機におちいった資本家たちが嵐のごとき首切り・レイオフの攻撃を労働者・人民にうちおろしている。失業者はわずか五週間で七一〇万人から三三六〇万人に激増した。アメリカの労働者は勤務先が提供する健康保険に入っている場合が多いことからして、失業はすなわち保険の喪失＝満足な治療が受けられなくなることを意味する。皆保険制度がないアメリカで雇用者提供保険に入っていない国民に民間医療保険への加入を促すことを眼目として保険料負担を軽減する「オバマケア」、この前オバマ政権の医療保険政策を敵視し・その廃止を公約に掲げてきたのがトランプ政権である。この政権は、約三〇〇〇万人の無保険者がさらに急増しているもとでも、三次にわたり計二九〇兆円を計上した経済対策のなかに臨時的に保険加入できるようにする措置などの無保険者救済策を入れることは頑として拒否したのであった。

他方で、富裕層は安全とみなしたフロリダなどの高級保養地の別荘やホテルへ逃れて優雅な隔離生活を満喫している。売上が急増し株価が最高値を記録しているネット通販大手アマゾンの最高経営責任者ベゾスは、年頭からの三ヵ月半で約二兆七〇〇〇億円も資産を増やし・ためこんでいる。いつどこで感染するやもしれず命がけで配送に奔走する労働者たちの生き血をすすって肥え太っているのだ。こうした許し難い貧富の格差と人種差別が――生死の〝格差〟に直結して――パンデミック下でグロテスクに拡大していることにこそ、アメリカ資本主義の悪がむきだしになっているのだといわなければならない。

労働者・人民が困窮のどん底であえいでいるときにトランプは、現在の苦境が、あたかも民主党系知事のミシガン、ミネソタ、バージニアなどの各州（これらはきたる大統領選挙の激戦州でもある）でとられている感染拡大抑止のための外出制限措置が厳しすぎることが原因でもたらされているかのように描きだし、「解放せよ」などとツイートした（四月十七日）。経済活動の再開を促すために、そしてみずからの感染対策の遅れによって招いた事態の責任を民主党系州政府におしつけんとして、これらの州政府にたいして「封鎖解除」を迫る抗議行動をトランプ支持者にけしかけているのだ。

〈パンデミック恐慌〉に直撃されたアメリカ経済は、四～六月期のＧＤＰが年率換算で前期比三九・六％減との試算を米議会予算局（ＣＢＯ）が示したほどの壊滅的打撃をうけている。ＷＴＩ原油五月物が四月二十日には一バレル＝マイナス三七・六三ドルなどという異常な値を示したほどの原油価格の大暴落下でアメリカのシェール・オイル企業が連鎖的に倒産するならば、これら企業の社債が組みこまれたＣＬＯ（多数貸付債権プール型担保証券）の暴落―金融危機に突き進みかねない事態が進行している。トランプが自己宣伝してきた「経済・株価は史上最高」という謳い文句は完全に吹き飛ばされた。こうした状況に直面しているトランプは、大統領選挙に向けてなんとしても経済指標を好転させるために、労働者・人民の生命の危機をも顧みぬ「経済再開」に突き進もうとしているのだ。このトランプの施策・言動をもしもアメリカの労働者・人民がこれ以上許すならば、さらなる感染拡大と、より悲惨な第二波の襲来を招き寄せるにちがいないのである。

2　排外主義的な中国非難とアメリカの歴史的没落

トランプ政権は、アメリカで世界最大のアウトブレイクをひきおこした責任を逃れんがために、排外主義をむきだしにして中国とＷＨＯ（世界保健機関）にその罪をおしつけようとしている。トランプは叫ぶ、「中国がくいとめなかったせいで、世界中が苦しんでいる」、「中国は報いを受けるべきだ」と（四月十八日）。ＷＨＯにたいしては「一月三十日まで国際的な緊急事態を宣言しなかった」から「時間と人命を犠牲にした」とかと非難している。

中国・武漢で新型肺炎が発生した当初、習近平政権は情報を隠蔽し、春節前後の人民大移動による中国全土・世界各地へのウイルス拡散をもたらした。このネオ・スターリニスト官僚の大犯罪は徹底的に弾劾されねばならない。だが、アメリカにおいて爆発的に感染を拡大させたのは、経済的打撃を怖れて本格的な対策を講じようとしなかったトランプ政権の犯罪いがいのなにものでもないのである〔「世界最強」を自任していた米疾病対策センター（ＣＤＣ）は自前の検査キットが使い物にならず初動で新型コロナ封じこめに失敗した〕。「中国寄り」ということを理由にしてＷＨＯへのアメリカの資金提供（ＷＨＯ予算の約一五％）を拒否する挙に出るにいたっては、今まさにアフリカ諸国など手を洗う水もなく病院も絶対的に足りない開発途上諸国の労働者・人民が新型肺炎が爆発的に拡大する危機にさらされているただなかで、これら諸国への救援を断ち・人民を見殺しにする犯罪行為いがいのなにものでもない。

それだけではない。中国・習近平政権が、マスク三八億六〇〇〇万枚・人工呼吸器一万六〇〇〇台などの医療物資を百数十ヵ国に輸送するいわゆる「マスク外交」を展開している。世界最悪の新型コロナ感染国と化したアメリカの国際的威信が地に墜ちている今このときこそ中国が〝世界のリーダー〟にのしあがる好機とふんで、〝いち早く新型コロナを克服し・世界中に支援の手をさしのべる「責任ある大国」〟としてみずからを売りこむ外交攻勢にうってでているのが習近平政権なのである。この新型肺炎禍を利用した中国の〝アメリカ追い落とし〟の策動に直面して焦りに焦りをつのらせているからこそトランプ政権は、〝「中国ウイルス」の発生源が武漢の研究所である証拠を隠滅している〟とかと狂乱的に中国非難のキャンペーンを張っているのだ。

かてて加えて、かろうじて中国にたいして優位にたつ軍事力においても、洋上展開中だった空母セオドア・ルーズベルトや横須賀配備の空母ロナルド・レーガンなどで集団感染が発生し、太平洋および南・東シナ海における米軍の作戦能力のいちじるしい低下に見舞われている。この米軍の隙を突いて「第一列島線」を越えて中国軍を太平洋に進出させ軍事訓練を連続的に強行したり、軍事要塞化した南シナ海の南沙・西沙諸島に新たな行政区を置くと発表したりしているのが習近平政権だ。これらの対米挑戦的な中国の動きに対抗してトランプ政権は、米西海岸配備の空母ニミッツを――この艦でも感染者が出たのだが――西太平洋へ急派したり、南シナ海での「航行の自由」作戦を押っ取り刀で展開したりしている。パンデミック下で米・中の軍事的角逐がいっそう激化しているのである。

いまやトランプのアメリカは、経済的および軍事的利害をエゴイスティックにつらぬくかたちでくりひろげている習近平中国とのむごたらしい角逐に勝ちぬく力をあらゆる意味で喪失しつつある。新型コロナ・パンデミックに直撃されたトランプのアメリカ帝国主義は、経済的にも政治的にも軍事的にも一挙的凋落に見舞われ、その国際的威信は完全に砕け散った。国内的には、オバマケアを葬ろうとしてきたトランプ政権が、新型コロナの爆発的感染拡大を招き・甚大な被害をもたらしたことへの労働者・人民の怒りが渦巻いていることのゆえに、もはやトランプの大統領選での敗北は決定づけられたといってよい。

新型コロナ感染対策においてトランプと並んで世界最悪の棄民政策をとっているネオ・ファシスト安倍の政権と断固としてたたかっているわれら日本の革命的左翼は訴える――アメリカの労働者・人民よ、反トランプ政権の闘いに今こそ起て！　ともにたたかおう！

（二〇二〇年四月三十日）

S・K

私鉄総連指導部の超低額妥結を弾劾せよ

新型肺炎蔓延下での労働者への犠牲強制を許すな

岸　辺　　学

超低額回答を受けいれた総連ダラ幹

二〇二〇年三月十二日（私鉄大手回答指定日）、私鉄大手十三企業の資本家どもは、私鉄総連の統一賃上げ要求（定昇相当分二％＋七九〇〇円）など一顧だにせず、各社別の個別交渉において、大多数の企業が「ベースアップ・ゼロ」、残りの企業は昨年以下の「回答」をつきつけた。私鉄資本家どもは「新型コロナウイルスにより、来年度以降の収支はまったく見通せない」、しかし「事業運営への協力と、今後の労使関係を考慮」して提示した、と居丈高につきつけた。ふざけるな！

文字どおり「先行き不透明」という危機意識にかられた私鉄大手十三企業の資本家どもは、自社の単組ダラ幹どもにたいして、その企業存亡の危機意識を共有することとともに、今後の経営施策への「協力」を迫ったのだ。この回答は、〝エッセンシャル・ワーカー〟などと持ちあげられながら、日々感染の恐怖のもとで働かされている私鉄労働者にいっそうの生活苦を強いるものにほかならないのだ！

だが、この超低額回答を私鉄総連指導部は、「おおむね昨年実績を確保した」と唯々諾々と受けいれたのだ。「感染症の広がりは想像以上に影響を与え、重く厳しい判断を強いられた」が「回答指定日時についてては、早期決着がはかれた組合も複数あった」などと言いつつ。しかもこの回答を彼らは、「〔新型肺炎感染の〕不安を抱えながらも公共交通機関としての使命を果たしている組合員のたゆまぬ努力に報いたものである」などと組合員に説教し、資本家どもに協力しろと号令したのだ！

なにが「おおむね昨年実績を確保した」だ！　組合員をバカにするな！　安倍政権によって昨一九年十月に強行された消費税増税や社会保険料の引き上げ、社会保障の切り捨てによる医療費の負担増などの取り戻しさえできない代物ではないか！

たたかうすべての私鉄労働者たち！　超低額要求を掲げ、私鉄資本家どもにたいして「魅力ある産業に向け知恵を出し合うこと」を申し入れ、この春闘をそのための〝労使協議の場〟へとねじ曲げることに腐心してきたのが総連指導部・単組ダラ幹どもにほかならない。わが革命的・戦闘的労働者たちは、総連指導部・労組ダラ幹どもによるこの闘争歪曲を許さず、〈一律大幅賃上げ〉をかちとるために職場生産点から奮闘してきた。大手私鉄労組の超低額妥結は後に続く中小労組の闘いに水をぶっかけるものだ。じっさい「多数の組合が臨時給は継続協議、そのほか苦渋の決断を余儀なくされた組合が出た」などと関東地連指導部が公言するほどに、超低額での妥結を中小労組は強いられたのだ！　いまもなお不屈にたたかっている地方中小労組の組合員たち（未解決十九組合・産別統一闘争参加二四六組合、四月十日現在）と連帯し総連指導部の超低額妥結を弾劾してたたかおう！　私鉄労働運動の戦闘的再生をかちとるために奮闘しよう！

「感染症対策」を口実に「早期決着せよ」と号令

私鉄総連指導部は、三月五日に緊急中央執行委員

会を、七日に緊急大手組合交渉団会議などを相次いで招集した。そこにおいて「私鉄春闘を牽引する大手組合が早期決着をめざす」と決定し、「大手組合が、すでに進めている交渉をさらに促進」せよ、中小・ハイタク労組も「これまで以上に早期決着」せよと指令した。それまでは「回答（指定）日時の厳守」を強調してきた彼らは、「労使一体での感染症対策に万全」を期すためにと称して「〔回答日にこだわらず〕早期決着」せよと号令したのだ。日に日に感染が拡大し鉄道・バス諸企業の「業績が悪化」し経営危機に陥ることに危機感をつのらせた彼らは、鉄道・バスを「安定運行」させるために私鉄春闘を「早期決着」させるハラを固めたのだ。

新型肺炎蔓延下で利用客が激減（東京メトロ線）

　インバウンド（訪日外国人）の取りこみによって高利潤をあげてきた私鉄資本家どもは、大手賃金交渉の場で「新型コロナウイルスの影響で経営環境は非常に厳しい」と声高にいいつのり、超低額回答を提示する構えであった。これに呼応して総連ダラ幹どもは「感染症の影響が想像以上に急激に広がり、国難ともいえる状況」だとこたえ、私鉄資本家どもと一緒になって「経営環境」を案じていたのである。

　彼らダラ幹どもは、「連合」労働貴族が新型肺炎の蔓延を口実にして決起集会などをすべて中止したことを見習い、早ばやと二月十七日に「緊急対応」なるものを出し、産別独自の決起集会などことごとく中止あるいは大幅に規模を縮小させてきた。「新型コロナウイルス感染症が広がるなかにあっても」、鉄道・バスの「公共交通機関としての使命を果たすために」と称して超低額・「早期決着」への道を掃き清めてきたのである。

　新型肺炎の蔓延による私鉄・バス諸企業の「急激

な業績の悪化」を彼ら総連指導部は私鉄産業にふりかかった一大災禍のようにとらえ、「業績の悪化」を「労使で乗り越えていくことが重要」であると考えたのだ。

〝コロナにより自企業が急激に業績を悪化させているいま、春闘交渉どころではない〟と早期の幕引きを策したのだ。組合員たちは低賃金を補うための残業を減らされ賃金を抑えこまれるばかりでなく、とりわけ地方では一時帰休や自宅待機などを強いられている。こうした組合員たちに、企業防衛のためにいっそうの忍従を強いたのが総連ダラ幹どもなのだ。ふざけるな！

私鉄資本家どもの首切り・賃下げ攻撃をはね返せ

新型肺炎のパンデミックにより、国内外で感染者が、死者が急増している。日本中からインバウンドは姿を消し、首相・安倍晋三や各自治体当局者による学校閉鎖や休業要請、外出自粛要請などにより、鉄道・バスなどの利用客は激減した。とくに需要がた減りとなった観光バス諸企業の資本家どもはいっさいの犠牲を労働者たちに転嫁し、首切り・雇い止め・自宅待機などの諸攻撃をかけてきている。

首都圏においては羽田空港や成田空港の国際便は運休し、ディズニーランドなど各地のテーマパークは臨時休園した。さらに各種イベントの中止、小・中・高校の休校など、また感染の危険の高まりのゆえに、観光客・レジャー客にとどまらず通勤・通学客そして一般乗客も激減した。首相・安倍による緊急事態宣言の発令を契機として、すべての私鉄・バスの乗客はがた減りとなった。なかでもバス資本家どもは、空港便や地方都市と結んでいる高速バスや繁華街からの深夜便などを、次々と減便・運休した。さらに、一般の路線バスの運行回数・ダイヤも削減した。

まさに業績の悪化に危機意識を高じさせているバス資本家どもは、いま以上に運行回数やダイヤを削減し、賃金コストを削減することによって、この危機をのりきろうとしているのだ。

バス労働者は、そもそも資本家どもによって超低賃金にたたきこまれている。それゆえ、資本家どもに強制される長時間残業・休日出勤を受けいれて賃金を補填し、生活をささえざるをえない。ところがバス資本家どもはいま、これまでの長時間残業の強制などなかったかのように、運行回数・ダイヤを大幅に減らし、そうすることによって残業代などの賃金コストの削減をはかってきているのである。労働者の生活をいよいよ困窮状態に追いやろうとしているのだ。

それにもかかわらず総連指導部・大手諸労組ダラ幹どもは、こうした現場組合員の底なしの困窮と不安などは一顧だにせず、ただただ「コロナ危機」による私鉄諸企業の「業績悪化」に慌てふためき、〝春闘どころではない〟と超低額・早期妥結を指令したのだ。

これまで彼らは「賃金・労働条件の向上のためには事業の安定が不可欠」などと称して企業業績をあげることに競って協力してきた。これは彼らが、「魅力ある産業」づくりを労使一体で進めることを私鉄労働運動の中軸としているからにほかならない。

いまとりわけ、バス職場では労働者たちは、「いつ自分が感染してしまうのか」と日々恐怖にかられながら運転している。「運転席に防護カーテンをつけろ」「フェースガードを配付せよ」「乗車定員を削減してくれ」などなどの切実な声をあげている。このような組合員たちの要求を資本家につきつけたたかうのではなく、「公共交通機関としての使命を果たす」ことを経営者と一体になって進めよ、と組合員に号令しているのが私鉄総連指導部・諸労組ダラ幹どもにほかならない。

たたかうすべての私鉄労働者たち！　私鉄労働運動を「魅力ある産業」づくりのための「交通政策要求実現」運動に歪曲する私鉄総連指導部を弾劾せよ！　〈大幅一律賃上げ〉をかちとろう！　すべての私鉄労働者はいまこそ階級的団結を強化・拡大しよう！　最後までたたかおう！

（二〇二〇年四月十六日）

感染の危険下で賃金削減・解雇攻撃にさらされるバス労働者

二〇二〇年四月二日に北鉄金沢バス(石川県)の運転士が新型コロナウイルスに感染していることが判明し、翌三日には、この運転士が所属する営業所のバス五十三台を消毒したりする対処によって、この営業所の十五路線(一日一万人が利用)が丸一日運休に追いこまれた。この事態を受けて、全国のバス運転労働者はいよいよ緊張に包まれている。

このかん「人手不足」のもとで長時間残業や公休出勤を強制されつづけて心身ともに疲弊し、多発する運転中の事故や脳梗塞などに怯えながら日々の運転労働をになわされてきたバス労働者たちは、さらにいま、自分が新型コロナウイルスに感染することへの不安と、もしも感染したらバス運行の麻痺をもたらしかねない怖れに苛まれているのだ。

こうしたなかで、四月七日に安倍政権は緊急事態宣言を発令し、国土交通相・赤羽一嘉は「公共交通」は「国民生活、経済活動を支える最重要のインフラ」であり「緊急事態においても必要な機能を維持することが求められる」とぶちあげた。だが、「緊急事態」において「公共交通」を維持すると宣言しても、政府・国交省は、バス運転士が直面している困難と苦しみなどは歯牙にもかけていない。緊急経済対策(二〇年度補正予算案)の一環として国交省がうちだした一兆三五〇〇万円規模の施策は、観光目的の宿泊費の半額を補助すること(半年間で五〇〇〇万人泊分も!?)など、もっぱら観光需要を喚起することでしかないのだ。農林水産省がうちだした飲食店利用者へのポイント付与、中小企業庁のイベントチケット購入者への割引クーポン配布などと併せて、ただただパンデミック後の「経済のV字回復」をはかることに躍起になっているだけなのである。〝パンデミック下での「公共交通」の維持は、公営交通当局や交通経営者が、交通労働者の犠牲によってはかれ。資金繰りの一定の支援はする。危機をのりきった経営者には、利潤をあげられるように「需要」喚起策を用意する〟というわけなのだ。

緊急事態宣言のもとで、いま大都市圏では、空港やテーマパークにアクセスするバス路線や大学専用バス路線、そして深夜便などの運休や減便が相ついでいる。一般のバス路線の乗客も激減するなかで、バス経営者は、おざなりの感染防止策をとりつつ、もっぱら運行回数の削減などをはかっている。労働者にたいしては、自宅待機や他の職種への応援などを強制し、残業代や運転距離手当などの削減という形態で大幅な賃金削減を強行してきている。まさに、パンデミックによる収入減を、感染の危険にさらしているバス労働者たちの賃金削減によってのりきることを策しているのが、バス経営者どもなのである。

他方、大都市圏以外の地方では、路線バスの八割がそもそも赤字とされ、地方のバス経営者どもは、このかん「公共交通」としての最低限の路線バス運行を維持するために、地方自治体の補助金に依拠するとともに、経営難と「人手不足」を口実にしてバス労働者を超低賃金でこき使いつづけてきた。こうしたなかで、パンデミックによる利用客激減（とくに学校の休校による路線バスの主要な利用者である通学児童・生徒の〝蒸発〟）に直面したバス経営者どもは、ガラガラのバスを走らせつづけて拡大する赤字を減らすために、高齢者の多い地域などではＡＩ（人工知能）などを活用したオンデマンド・バスに移行することをも画策しつつ、「倒産の危機」をバス労働者たちにつきつけ、いっそうの賃金削減と長時間労働・労働強化の強制に狂奔しているのだ。

いまバス労働者たちは、交通労働者へのなんらの感染防止策も生活補償策もとらずにただただ「公共交通」の維持を号令する政府・国交省と、利用者激減による経営危機のりきりのために労働者への犠牲転嫁に狂奔するバス経営者とによって、新型コロナウイルス感染の危険と賃金削減・配転・労働強化、さらには自宅待機・解雇などの一大攻撃にさらされている。だが、私鉄総連や自治労都市交評のダラ幹どもは、もっぱら経営危機のりきりのための労使の協力に奔走しているにすぎない。こうした既成指導部の腐敗をのりこえ、労働者の階級的団結をいまこそ強化・拡大し、政府・独占資本家どもの＜パンデミック危機＞のりきりのための労働者への一切の犠牲転嫁をうちくだけ！

（二〇二〇年四月十六日）

「交通政策要求実現」運動をのりこえ私鉄春闘をたたかおう

南原　裕

たたかう私鉄の労働者諸君！　今二〇春闘は深刻な危機に直面している。

経団連会長・中西宏明は、「一律・横並びの賃上げ要求」を拒絶し「日本型雇用システムの見直し」をめぐって労使が議論することこそが今春闘の最大の課題だ、と叫びたてている。これにたいして「連合」会長の神津里季生は「基本的な問題意識は共有する」と表明し、「連合」加盟労組全体が「統一要求基準」のもとに賃金闘争にとりくむことを放棄する姿勢をむきだしにしている。日本型賃金闘争＝春闘を破壊し、独占資本家どもに応えることを宣言したのが「連合」労働貴族どもにほかならない。

この「連合」指導部の方針転換に直面してわが私鉄総連本部は困りはて、弱々しく「統一闘争こそが大事」と唱えるとともに、「連合」指導部が「上げ幅」要求の放棄をごまかすために掲げた「底上げ・底支え・格差是正」なるものにしがみついている。彼らは、私鉄においても「底上げをめざす」と言いながら、そのためにも「事業の安定が不可欠」などとうそぶき、私鉄労働者にたいして「事業の安定」のために過酷な長時間労働を受けいれよと強要しているのだ。「魅力ある産業に向け知恵を出し合う」ことを私鉄資本家どもに申し入れ、〝産業発展のための労使協議〟の場へと春闘をねじまげようとしているのだ。ふざけるな！

いま私鉄資本家どもは、新型コロナウイルスの感染拡大による「インバウンド需要」の激減をつきつけられ、顔面蒼白となっている。「観光立国」を国家戦略として掲げる安倍政権のインバウンド拡大政策にしがみつき、「人口減少」のもとでも利潤を確保することをめざして「インバウンド需要」取り込みのための巨額の投資を実施してきた彼らは、この〝コロナ・ショック〟を口実にして「先行き不透明」などと常套句をわめきたて、賃金抑制を徹底するハラを固めているのだ。

すべての私鉄労働者諸君！　私鉄総連指導部の〝魅力ある産業づくりのための春闘〟への歪曲に抗して、私鉄資本家どもによる賃金抑制攻撃をうち砕き、一律大幅賃上げをかちとるために奮闘しようではないか。

1　賃金抑制を徹底する私鉄資本家

二〇二〇年一月十五日、私鉄総連本部は、日本民営鉄道協会と日本バス協会にたいして、二〇春闘の「交渉方式に関する申し入れ」をおこなった。委員長・田野辺耕一は、「魅力ある産業に繋げるためにも、早期解決に向け、これまでに培ってきた労使の知恵を出し合いながら取り組んでほしい」などと私鉄資本家どもに懇願した。

「魅力ある産業」づくりのための労資協調をおしだした私鉄総連本部のこの姿勢をみてとって、私鉄資本家どもは賃金をさらに徹底的に抑制する姿勢をしめしている。

このかん、労働者への低賃金・長時間労働の強制を基礎とし、拡大する「インバウンド需要」に群がって高利潤をあげつづけてきている大手私鉄の経営者。彼らは、「少子高齢化社会」への突入・人口減による国内市場の〝先細り〟に危機感を募らせ、こうした条件下においても企業の利潤を増やすための諸施策の実現に向けて狂奔してきている。「モビリティ革命」の名のもとに、ＡＩ（人工知能）やＩＣＴデジタル技術を活用した「移動サービス」（ＭａａＳ）の構築や、沿線居住者を「顧客」として取りこむための諸設備の整備・増強のために、膨大な資金を湯水のごとくに投入してきているのだ。この他方で彼らは、私鉄総連指導部の掲げる雀の涙ほどの超低額賃上げ要求は拒否し、今春闘においても徹底した賃上げ抑制をつらぬこうとしているのだ。

しかもいま、新型コロナウイルス感染が蔓延し、インバウンドが激減するだけではなく、国内の「公共交通」利用者も急減している。このことをも口実として、賃金抑制の姿勢をむきだしにしているのが私鉄資本家どもにほかならない。

このように賃金抑制の姿勢を強める私鉄資本家どもも、とりわけ大手私鉄の資本家は、同時に運輸労働過程の技術化をはかり、労働者の首切りリストラをも強行しようとしている。彼らは、ＡＩなどを活用した新たなデジタル技術諸形態を運輸労働過程に導入することによって、この客体的契機の技術化に対応して、主体的契機たる労働組織の再編を目論んでいる。保守点検部門、駅業務部門、運転部門などの現業部門で働く鉄道労働者の大量人員削減を狙っているのだ。

現業部門以外の労働者には「時間や場所にとらわれない働き方の実現」などと称して、勤務開始時間の繰り下げ、また繰り下げできるスライド勤務の導入やサテライトシェアオフィスでの勤務やテレワークなど、ネットとＩＣＴ機器を活用した働き方が「業務の効率化」の名のもとに次々と導入されている。「どこで働くか、どれだけ長い時間働いたかではない」などとがなりたて、「効率的な働き方」＝「生産性の向上」を強制しているのが大手私鉄の資本家どもなのだ。

運転手不足を理由に過酷な労働を強いられるバス労働者

私鉄労働者、とりわけバス労働者のおかれている現実は悲惨である。昨一九年十二月、東京都心で「はとバス」の観光バスが停車中のハイヤーに追突して乗り上げ、ハイヤーの運転手が死亡するという痛ましい事故が発生した。事故を起こしたバス運転手は、インフルエンザに罹患し三十八度の高熱で運転中に意識不明に陥り、この事故をひきおこしてしまったと言われている。当該バス運転手は朝六時四十分に出勤後、まず修学旅行中の生徒の都内見学のための運転をおこない、続けて夜の観光ツアーの運転もおこなうという、二連続の勤務を強制されていた。事故はこの後半の過程で発生した。この会社の経営者は、発熱している運転手に二連続勤務を強制しておきながら、「〔点呼時の健康確認では〕異常なしの申告をしていた」などと、一切の責任を当該運転手に転嫁している。低賃金（なんとこの運転手の基本給はわずか一六万円でしかない！）かつ十六時間拘束という過酷な運転労働を強制しておきながら、「十六時間近くの拘束時間になることや一ヵ月に二十五日働く月があることは事実」だが「労働基準法の適用範囲内だ」、などと居直っているのが「はとバス」資本の経営者なのだ。ふざけるな！　こんなことが許せるか！

しかし、このような悲惨な現実は私鉄、公営を問わずどこのバス職場でも常態化しているのだ。運転手不足を理由にして、多くのバス労働者が超長時間残業や休日出勤を強制されている。低賃金のゆえに、生活を維持するためにみずからに鞭うって長時間残業や休日出勤を受けいれざるをえず、こうして肉体的・精神的に疲弊し、運転中に脳梗塞や心筋梗塞に陥ったり、うつ病を発症したりするバス労働者が多発しているのだ。

にもかかわらず資本家どもは、こうしたバス労働者の低賃金・長時間労働を「改善」しようとはしない。それどころか大手バス資本家は、人員不足を逆手にとって、不採算路線を中心に路線の減便をおこなうとともに、「バスロケーションシステム」の導入（ＧＰＳ〔全地球測位システム〕を活用してバスの運行管理をおこなうこのシステムは、バスの位置情報を乗客に配信するとともに、バス運転手の労務管理の強化策として使われている）やＡＩ・デジタル機器を活用した〝サービスシステム〟などへの設備投資を強化することによって、乗客のバス離れをくいとめることに心血を注いでいるのだ。さらに、大手私鉄資本がおしすすめる「ＭａａＳ」に連繫することによって、乗客増をはかろうとしているのが大手私鉄バス資本なのだ。

他方、その八割超が赤字経営の中小バス資本は、政府・国土交通省の「地域公共交通網形成計画」（地方自治体を主体として、地域のバス路線網の再編をおこなうもの）に依存して、国や地方自治体からの補助金で赤字を補填しつつ、労働者をますます酷使して企業存続をはかろうとしているのだ。

このように、私鉄資本とりわけバス資本が、労働者へのいっそうの犠牲転嫁をはかりつつ生き残りを策しているなかで、「魅力ある産業に向け知恵を出し合う」ことを資本家どもに呼びかけているのが私鉄総連指導部にほかならない。彼らは、「要員確保は一企業労使間の協議での解決は困難」などとうそぶき低賃金・長時間労働に苦しむバス労働者を見殺しにしているのだ。

こうしたなかで、戦闘的・革命的労働者たちはいま、労働者が団結して低賃金・長時間労働の強制をうち砕かないかぎり「要員不足」も解消しえないことを訴え、総連本部の「魅力ある産業づくりのための春闘」への歪曲に抗し、職場から二〇春闘を戦闘的に創造するために奮闘しているのである。

2 「魅力ある産業」づくりのための春闘を叫ぶ総連本部

私鉄総連の二〇春闘方針は次のようなものである。

（A）賃上げ要求としては、「月例賃金にこだわる」と言いつつ、「定昇相当分（賃金カーブ維持分）二％＋生活維持分＋生活回復・向上分（ベースアップ分）七九〇〇円」という超低額要求を掲げていること。

闘争方式としては、「回答（指定）日時が最大のカベ」だ、回答指定日に妥結するために「交渉重視の徹底化」をはかれ、「春闘の重さ」を認識しろ、と強調。

（B）政策・制度要求としては、これまでにも増して「交通政策要求実現」運動にとりくむことを強調している。昨年の参議院選挙での組織内候補・もりや（森屋隆、立憲民主党）の当選に依拠して、「交通政策の前進」をはかろうと考えているのだ。具体的には、①政府・国交省による「バス事業の競争政策の見直し」や「ＭａａＳ」の「先行モデル事業」選定への対応、②「要員確保と人材育成などに向けた取り組み」、③「長時間労働の是正と働き方改革への対応」など七項目を掲げている。

こうした私鉄総連二〇春闘方針は、きわめて反労働者的なものである。

（１）まず、賃上げ要求じたいが、あまりにも低額ではないか。昨年十月に強行された消費税増税分の取り戻しにもならないものだ。私鉄総連がおこなった「全組合員生活アンケート」でも八割以上の組合員が「生活が苦しくなった」「年間賃金総額が足りない」と窮状を訴えている。こうした私鉄労働者の切実な要求をまったく無視しているのが総連指導部なのだ。

（２）しかも彼らは「経営状況を把握・分析」して「交渉重視」せよ、という。私鉄総連傘下の中小私鉄・バス労組のある企業の八割が赤字経営のもとにあるなかでのこうした主張は、「経営状況」に配慮して賃上げを求めるな、ということでしかない。

「賃金・労働条件を改善していくためには、事業の安定が不可欠」と叫び、まずもって企業業績をあげることに協力しろ、と労働者をかりたてているのが総連指導部なのだ。企業の「経営状況」を分析し、「生産性向上」に協力した見返りとして「適正な配分」を求めよ、と号令しているわけなのだ。

（３）私鉄総連指導部は、闘争形態にかんしては、「交渉重視」を徹底するようにがなりたてている。彼らは一四春闘以降、「交渉重視の徹底化」の名のもとに統一ストライキの事前設定を放棄し、「回答指定日」に妥結することを各単組に迫ってきた。しかし、中小私鉄・バス労組のなかでは〝従来のようにストライキを背景として春闘をたたかうべき〟という声が高まっている。中小私鉄・バスの資本家が、企業存続のために苛烈に賃下げ・労働強化の攻撃をかけてきているなかで、〝私鉄総連としての統一したストライキを構えなくては賃上げもかちとれない〟という労働者たちの切実な思いが噴きだしているのだ。しかし私鉄総連指導部は、「ストライキは最後の手段。この戦術は重い」などとうそぶき、

「交渉が難航」したとしても安易にストライキのための「特指令」は出さない、という居丈高な姿勢をむきだしにしているのだ。「労使の信頼関係を築くとともに」「魅力ある産業に向け知恵を出し合」って「公共交通」の維持・発展のために努力することが重要だと唱え、「緊張感のある交渉を重ね、『経営側から、検討に値する誠意ある回答を、回答（指定）日時に必ず引き出す』ための態勢」をつくれ、「早期解決」せよ、と恫喝しているのが総連指導部なのだ。

3　私鉄二〇春闘の大爆発をかちとろう

一律大幅賃上げをかちとろう

われわれは、第一に、私鉄資本家どもの賃金抑制攻撃をうち破り、一律大幅賃上げをかちとるために奮闘するのでなければならない。

私鉄総連本部の掲げる賃上げ要求は、私鉄労働者をまったく馬鹿にした超低額要求でしかない。安倍政権による消費税増税や社会保険料の引き上げ、社会保障サービスの切り捨てなどのゆえに、低賃金の私鉄労働者はますます生活苦を強いられている。総連本部の掲げる超低額の賃上げ要求では、私鉄労働者のこの現状をなんら打開できないことは歴然としているのだ。

しかも彼ら総連本部は、この超低額の賃上げ要求さえもたたかいとる気はさらさらない。「連合」指導部が「〔統一要求の〕縛りをかけることは難しい」（会長・神津）とほざいて「上げ幅」要求の放棄をきめこむなかで、私鉄総連本部は「統一闘争こそが大事」と言いながらも、「賃金の上げ幅だけでなく、それぞれの賃金水準を段階的に達成できるよう、『賃金の絶対値』をより意識した賃金改善を」と強調し、「ポイント別賃金水準」の追求に力点を移しているのだ。これは、「働きの価値に見合った賃金水準」の追求という「連合」方針にならうものであり、「安全・安定運行やサービス向上に向けた組合員のたゆまぬ努力に対する『人への投資』」を、と経営者にお願いし、私鉄資本家が導入・拡大を策す

「仕事・役割・貢献度」にもとづく賃金支払い形態を容認するものにほかならない。これが、私鉄総連本部の言う「魅力ある産業の構築」のための「人財への投資」ということなのだ。

このような総連指導部の主張には、「適正な配分」を実現するために「付加価値」＝パイを大きくする、すなわち労使が協力して生産性の向上をはかる、という考え方がつらぬかれている（「パイの分け前」論）。賃金・労働条件の改善のためには「事業の安定が不可欠」と主張し、私鉄資本家どもに全面協力して〝生産性の向上にもっと励め！〟と私鉄労働者をかりたてているのだ。

私鉄資本家はいま、新型コロナウイルス感染の拡大によるインバウンド激減に慌てふためき、「先行き不透明」とわめきたてて賃金抑制を徹底しようとしている。われわれは、「生産性向上」に協力して「適正な配分」をお願いするものへと闘争を歪曲する総連指導部の裏切りを許さず、私鉄資本家どもの賃金抑制攻撃をうち破り一律大幅賃上げをかちとるために奮闘するのでなければならない。

長時間労働・労働強化の強制反対！　労働条件の抜本的改善のために闘おう！

第二にわれわれは、私鉄資本家どもによる長時間労働・労働強化の強制に反対する闘いをつくりださなければならない。

こんにち私鉄資本家とりわけバス経営者どもは、深刻化する「バス運転手不足」をのりきるために、バス労働者にいっそうの長時間労働・労働強化を強制している。「要員不足」の最大の要因が、バス労働者の低賃金と長時間拘束・不規則勤務という過酷な勤務形態にあることは歴然としている。にもかかわらず、この「改善」をはかるどころか、路線の維持と利潤の拡大のために、バス労働者に休日出勤や長時間残業をいっそう強制しているのがバス資本家なのだ。

だが、総連指導部や各単組ダラ幹は、バス資本家どものこうした攻撃をはねかえす闘いを職場から組織化するどころか、「難局をのりきるために」と称して労働者たちに長時間労働を甘んじて受けいれよと〝指導〟しているのだ。そのうえで、政府・国交省の「交通政策基本計画」のなかに「交通政策要求」という名の私鉄の〝産業振興〟策をとりいれるようお願いすること、この労資一体の取り組みに腐心しているのが総連指導部なのだ。

われわれは、総連指導部による「交通政策要求実現」運動への解消を許さず、私鉄資本家による長時間労働・労働強化の強制に反対する闘いを創造するのでなければならない。交運労働者の労働条件の抜本的改善のためにたたかおう！

改憲阻止・反戦反安保闘争を推進しよう！

そして第三に、〈中東派兵反対・日米新軍事同盟の強化反対・改憲阻止〉の闘いを推進しよう！

安倍政権は、自衛隊のＰ３Ｃ二機と護衛艦「たかなみ」を中東に派兵した。トランプ政権につき従い米軍の対イラン軍事作戦を補完する事実上の参戦にほかならない。いまネオ・ファシスト安倍は、トランプ政権の要請に応えて、対中国の中距離核ミサイルの日本全土への配備をも企んでいる。そして〝アメリカとともに戦争をやれる国〟に日本を飛躍させる総仕上げとして、改憲に突進しているのだ。

こうしたなかでようやく私鉄総連本部は、――わが戦闘的・革命的労働者の闘いにゆさぶられて――「政府が独断で中東への派遣を強行したことに強い怒りを感じる」「安倍政権は、防衛費を増額させ、軍備の拡大を進めている」と危機感を吐露し、「私鉄組合員の総力を結集し、全国で平和を守る運動を実践していかなければならない」と表明した(二月十日、第三回拡大中央委での委員長・田野辺の発言)。だが、「全国で平和を守る運動」の内実は「私鉄独自の沖縄交流」「青年女性の平和学習」のみなのだ。

われわれは、こうした総連本部の脆弱な取り組みを職場からつくりかえ、〈中東派兵・日米安保強化・改憲〉反対の闘いを創造するのでなければならない。いまこそ〈反安倍政権〉の闘いを燃えあがらせるために奮闘しようではないか。

すべてのたたかう私鉄の仲間たち！　私鉄二〇春闘の戦闘的高揚のためにたたかおう！

(二〇二〇年二月二十九日)

自動車総連指導部の賃闘破壊に抗し闘いぬこう

村山武

超低額回答を受け入れた大手労組労働貴族弾劾!

二〇二〇年三月十一日、自動車大手各社経営陣は、米中貿易戦争や新型コロナウイルス感染拡大による世界的販売減、そして何よりも自動運転などをめぐる国際競争の激化を口実として、軒並み昨年以下の超低額回答を労組に突きつけた。トヨタが総額八六〇〇円(定昇制度維持分と諸手当増分)、ホンダが一〇〇〇円(賃金改善分五〇〇円と「チャレンジ加算金」五〇〇円)、日産が総額七〇〇〇円などというように。とりわけ過去二年「賃金改善分」を非公表としてきたトヨタ経営陣が、今回はあえて「賃金改善分はゼロ」と公表した。国際競争のなかで生き残るためには、もはや「仕事・役割・貢献度」基準の賃金支払い形態にもとづく昇給以外の賃上げを認めるべきではないとグループ企業内外にアピールしたのだ。

ところが、これらの低額回答を唯々諾々と受け入れたのが、各社労組の労働貴族どもだ。自動車総連会長・髙倉明(金属労協議長)もまた、「昨年と比べても意味がない」とか、「産業・企業をとりまく環境・制度がまったく違うなかで真摯に当該労使が論議を積み重ねて見いだした結論でありますから、私は尊重したい」とかという屁理屈を並べて居直った(三月十一日の金属労協記者会見)。これら大手企業労組労働貴族と彼らが牛耳る自動車総連指導部を徹底的に弾劾せよ!

中小企業でたたかう革命的・戦闘的労働者は、大手企業の低額回答を口実とした中小企業経営者による賃上げ抑制攻撃をうち砕き、<一律大幅賃上げ>を獲得するために、さらにさらに奮闘しよう!

(二〇二〇年三月十五日)

米中貿易戦争に直撃され危機に陥る日本の自動車産業

米中対立の激化による世界的な景気後退によって、日本の自動車諸独占体は業績の悪化に直面している。とりわけ、世界最大の中国市場(日本市場の五倍以上)における一九年の新車販売台数は、二六〇〇万台と十九ヵ月連続の前年割れに陥り、日本独占体の売り上げが大きく減少している。それだけではない。これまで成長市場であったインド・タイなどの東南アジア諸国においても販売台数が大きく落ちこんでいる。

完成車メーカー九社の一九年四~十二月期決算は、トヨタを除く八社の営業利益が前年実績を下回った。日産は一九年十~十二月の第3四半期の決算において十一年ぶりの赤字に転落した。「想定を超える」販売減に直面している日産は、すでに実施している世界的規模での一万人以上の人員削減に、追加のリストラや工場閉鎖などを検討している。ホンダは、部品の不具合によって新型車両の生産が遅れた影響で純利益が前年比二二・一%減の四八五二億円に落ちこんだ。さらに国内工場の大幅な減産によって余剰となった期間工を容赦なく切り捨てている。スズキは主戦場であるインドでの事業が落ちこみ三五・五％減の一一六五億円。マツダ、スバル、三菱自動車も同様に減益に転落した。

唯一、増収増益を計上したトヨタだけは利益率の高いＳＵＶ（スポーツ用多目的車）やピックアップトラックの販売拡大が利益をおしあげた北米事業に支えられるとともに、トヨタ本体や下請け企業の労働者を搾りとり、納入単価の切り下げを強制する「原価低減」の取り組みによって好業績を維持しているのだ。トヨタの下請け企業の業績は、デンソー、アイシンなどの大手部品企業をはじめ総じて減収減益に追いこまれている。トヨタ本体の〝一人勝ち〟の様相を呈しているのだ。

さらに、中国全土に広がる新型コロナウイルス感染の影響による操業停止が各社の業績悪化に拍車をかけている。とりわけ日産とホンダは世界販売に占める中国市場の比率が約三割と高く、業績への影響が大きい。ホンダは武漢にある年間約六〇万台の生産能力を擁する三工場の生産停止に追いこまれ、フル操業のメドはたっていない。トヨタも中国の四工場の生産を再開したが、部品調達・物流・生産要員の確保など不確定要因が重なることからして全面再開は見通せない状況が続いている。

影響はそれにとどまらない。中国からの部品供給が停止し、日産は九州工場や栃木工場の操業停止に追いこまれた。「なにが起こるか読めない」（トヨタ首脳）状況が長期化すれば業績の悪化はますます不可避となるのだ。

〔トヨタは三月二十三日に、日本国内の五つの工場の生産を四月三日から四月十五日まで停止すると発表した。〕

いま世界の自動車産業は、「一〇〇年に一度」と言われる激動のまっただなかに突入している。日本の自動車独占体も「ＣＡＳＥ」（コネクテッド、自動運転、シェアリング、電動化）と呼ばれる次世代技術の開発や新たなビジネスモデルの開拓をめぐって熾烈な競争に直面している。グーグル、アップルなどの巨大ＩＴ企業も加わった激烈な競争に勝ちぬき生き残るためには、異業種との連携と同時に巨額の研究開発資金を必要とする。年間一兆円を超えるトヨタですら足元にもおよばない、三兆円以上の資金を巨大ＩＴ企業は研究開発費に投入している。これに対抗するうえで業績・収益の悪化は致命的であり、危機感と焦燥感を募らせているのが自動車産業の独占資本家どもにほかならない。

春闘を産業生き残りのための労使協議に歪曲する労働貴族

一月九日、自動車総連は「第八十七回中央委員会」を開催し「二〇二〇年総合生活改善の取り組み方針」を決定した。自動車総連の労働貴族どもは自動車産業の状況について、「米中対立および中国経済減速などにより、これまで以上に厳しい経営環境になっている」と危機感をあらわにしている。また春闘への新型肺炎の影響について問われた自動車総連委員長の髙倉は「新型コロナウイルスに限らず、業界を取り巻く環境は厳しい……影響はあるだろう」などと春闘どころではない心情を吐露している。

このような認識にたって決定した方針の特徴は、まず第一に、昨一九春闘方針を引き継ぎ「賃金改善分」＝「上げ幅の要求基準」の設定を放棄し、「各単組が絶対額を重視した要求を自ら設定し取り組む」というように、各単組に丸投げする方針を掲げていることである。同様に非正規雇用労働者（直接雇用）についても、具体的な「要求基準」を設定していない（一九春闘では時給二十円を「改善分」に設定していた）。

そして第二に、「自動車産業の魅力向上に向けて」「企業内最賃協定」締結の取り組みを強化するという方針をうちだしていることである。「深刻な人手不足に踏まえれば、自社、産業の持続的成長の前提になる『人材の確保・定着』が急務である」として、中小企業・非正規雇用労働者の賃金の底上げにとりくむかのようにおしだしている。

だが、このような方針はまったくの噴飯物でしかない。自動車総連の労働貴族どもが、今二〇春闘方針として「魅力ある自動車産業に向けた取り組み」なるものをうちだしたのは、右にみたように「上げ幅」要求を放棄し、賃金闘争を放棄したことを隠蔽しゴマかすためのものでしかないのである。これが自動車総連二〇春闘方針の最大の特徴である。

米中対立の激化や「第四次産業革命」への立ち遅れ、さらに少子高齢化と生産年齢人口の減少に直撃されて、日本資本主義、とりわけ製造業は衰退の危機に直面している。自動車総連の労働貴族どもは、産業の生き残りをかけて自動車独占体をはじめ自動車諸資本がおしすすめる経営・労務の諸施策への協力に組合員を駆りたて動員しようとしている。まさに彼ら労働貴族どもは、自動車産業で働く労働者の犠牲のうえに、今春闘を自動車産業の生き残りを資本家どもと協議する場へとねじ曲げようとしているのだ。

賃上げ闘争としての春闘の破壊

自動車総連の労働貴族どもは、賃上げについて「絶対額を重視した取り組みを継続する」と称して、昨一九春闘につづいて各単組が掲げるべき要求基準の設定を放棄した。「取り組みにあたっては各単組自らが考え、それぞれの目指すべき賃金水準および賃金課題の解決に向けて主体的に取り組む」と述べて各労連・各単組に「賃金闘争」を丸投げしているのだ。ただ各労組の取り組みの「参考値」に「若手技能職」（三十歳）と「中堅技能職」（三十五歳）の二つの「銘柄」を設定し、企業規模に合わせておのおの単組がめざすべき水準をミニマムから大手単組がめざす水準まで（二一万五〇〇〇円から三七万円）五段階で十種類の「指標」に分けて提示している。

だが、このような「指標」を示しても、これまで「大手追随・大手準拠」の「賃上げ闘争」の経験しかない中小の労組幹部にたいして、この「指標」をどう活用するかも示されていないのだ。したがってこのような「指標」を掲げてとりくんだとしても、せいぜい自企業の経営者に生産性向上に必死でとりくむことを誓い、その見返りに数年先に目標に掲げる賃金水準に引き上げるという空手形を受け取ることにしかならないのだ。まさに彼ら労働貴族どもは、今春闘において、自動車総連としての統一した取り組みを放棄し、各メーカー労組を頂点にする各労連・単組が、それぞれ独自の方針をもってとりくむというものにしたのである。

このような方針にもとづいて、二月十二日の要求提出日に各メーカー労組はいっせいに要求書を提出した。トヨタ労組指導部は、要求形式を「個別賃上げと全組合員の平均賃上げ・人への投資要求の並列要求」とし、要求内容は「賃金引き上げ・人への投資を合わせて全組合員一人平均で一万一〇〇〇円」とする方針を掲げた。このトヨタ労組に追随してマツダ、スバル、日野自動車の各社労組指導部は「賃金改善分」を非公表にした総額で要求を掲げている。日産は「賃金改善相当分三〇〇〇円を含む平均賃金改定原資九〇〇〇円」の要求をうちだしている。

このように、自動車総連傘下の各労組の取り組みは、もはや産別としての統一した闘いではまったくない。今春闘において電機連合中央も「妥結における柔軟性」を容認し「統一闘争」を投げ捨てようとしている。自動車総連の労働貴族どもは、電機連合をひき連れ「企業別組合の産業別勢ぞろい」という形式でとりくまれてきた日本型賃金闘争としての「春闘方式」の最後的破壊の先兵としてたち現れているのだ。

「脱・一律ベア」を叫ぶトヨタ労働貴族

それだけではない。今春闘においてトヨタ労組の労働貴族は、人事考課にもとづいて「賃金改善分」の「配分」に差をつける「脱・一律ベア」要求をうちだした。トヨタ労組指導部は「より頑張っている人に報いる原資として賃金制度維持分を上回る賃金引き上げ」を要求し、「維持分を上回る金額」を五段階の人事考課にもとづいて傾斜配分するように要求しているのだ。彼ら労働貴族どもは、経営陣と腹合わせして企業の生き残りのために、より成果をあげ会社に貢献できる人材を育成し確保するために要求内容を変えたのだ。

だが、これについて自動車総連事務局長・金子晃浩（トヨタ労組出身）は、「トヨタをはじめ、一律にベアを配分しているところは現実的にはなく、役職や資格に応じた配分がなされている。とくに新しいものとは捉えていない」などと問題をすりかえ居直っている。「メリハリのある配分」と称して、労組の側から労働者の賃金格差の拡大につながる反労働者的な要求をだす方針に転換したことを正当化しているのだ。

一八春闘において「改善分を非公開」にしたトヨタ経営陣の「日本語回答」について自動車総連会長・髙倉（日産労組出身）は一時は、「共闘の観点から問題だ」などと、トヨタ労使による春闘破壊の画策にみずからが蚊帳の外に置かれていた苛立ちを隠さず苦言を呈していた。だが、翌年の一九春闘において、トヨタ労組・全トヨタ労連が「ベアにだけ焦点を当てて良いのか」とほざき、「改善分を非公表」にした「総額要求方式」に転換したことを容認し、髙倉をはじめ自動車総連の労働貴族どもは、「上げ幅」から「賃金水準重視」へと賃金闘争方針を転換した。しかも要求方式および内容の決定を各単組に丸投げして産別としての統一の取り組みを放棄するかたちにおいて。

さらに、いまや「一律の賃上げは時代に合わない」と叫ぶ経団連会長・中西宏明に歩調を合わせ、トヨタ経営陣は、全員対象の賃上げを拒絶する姿勢を鮮明にしている。激烈な競争のまっただなかに置かれている日本の製造業、とりわけ自動車産業に代表される「日本のものづくりをしっかり残す」と叫ぶこのトヨタ経営陣につき従って春闘破壊につき進んでいるのがトヨタ労組労働貴族なのだ。そしてこのトヨタ労働貴族が引っぱり他の大手労組労働貴族が追随していることによって、春闘破壊の前面に立っているのが自動車総連指導部なのである。

「魅力ある自動車産業に向けた取り組み」の反労働者性

自動車総連は、今春闘において、あらたに「魅力ある自動車産業に向けた取り組み」を掲げ、「企業内最低賃金」の協定締結をこれまで以上に強化していくという方針をうちだしている。「深刻な人手不足」を打開するために、「自動車産業の魅力向上に向けて」「企業内最賃協定の締結」を各単組がとりくむべき課題として掲げているのだ。

中小労組や非正規雇用労働者の賃金の「底上げ」が社会問題にまでなり、「連合」指導部は今春闘の主要な課題に「底上げ・格差是正・底支え」を掲げている。自動車総連の労働貴族はこれに追随するかのようなかたちをとり、あたかも自動車産業の賃金の「底上げ」にとりくんでいるかのようにおしだしている。だが、このような取り組みは、賃上げ闘争を放棄し、春闘を自動車産業・企業の生き残りのための労使協議に純化させていることを隠蔽しゴマかすための反労働者的な代物でしかないのだ。

自動車産業に限らず、いずれの産業も人手不足に直面しているのは事実である。じっさい、トヨタでも以前は週に二〇〇人を集めた「期間工」も現在は五十人程度しか集まらない。逼迫する現場労働者を確保するために、トヨタの各工場間での応受援がおこなわれている。下請けのトヨタグループ企業では、トヨタの「期間工」として働き二年十一ヵ月で期間満了となった労働者を下請け企業に紹介する会社をたちあげ、グループ内で労働者をたらい回しにすることがおこなわれている。また中小の下請け企業では、怪しげな人材派遣会社を通して多くの外国人派遣労働者が送りこまれているのだ。

自動車総連指導部は、このような人手不足を打開するために、自動車産業諸企業の企業内最低賃金を、他産業の企業内最低賃金や特定最低賃金に比して高い水準に引き上げることを経営者に求めている。しかし、低賃金で苛酷な労働を強制される現実を変革することを抜きにして、ただ企業内最賃の引き上げを唱えるのは、反労働者的な所業いがいのなにものでもない。

労働組合に結集した労働者の団結した底力をもって労働者全体の賃金の引き上げを勝ちとり、労働強化をうち砕くことこそが重要なのだ。

二〇春闘の戦闘的高揚を切り拓こう

自動車独占体の資本家どもは、巨大ＩＴ企業が参入した「CASE」をめぐる競争の激化に、危機感と焦燥感に促迫されながら企業の生き残りに必死になっている。この資本家どもの前にひれ伏し、組合員をあらたな技術開発や生産性向上に駆りたてようとしているのが自動車総連の労働貴族どもなのだ。

彼らは、昨一九春闘から産別としての「統一要求基準」を提示しない方針に転換したことについて、「要求の幅が上方に広がった」「決着後に、賃金課題について検討する単組がでてきた」などと屁理屈をならべたてて正当化している。だが、実質賃金は下がる一方ではないか。消費税増税や各種社会保険料の引き上げによってわれわれ労働者の生活はますます苦しくなるばかりだ。また「賃金課題の検討」とは、自企業の競争力強化に向けて賃金支払い形態の「仕事・役割・貢献度」基準のそれへの改悪をめぐってなされるのであって、労働者にとっては相互の競争と分断を強制されることを意味するのである。

自動車職場でたたかうわが革命的・戦闘的労働者は、自動車総連労働貴族の掲げる方針の反労働者性を暴きだし、〈一律大幅賃上げ獲得〉のために今二〇春闘の戦闘的高揚に向けてさらに奮闘しよう！　形骸化し弱体化した労働組合組織を下から粘り強く再構築し、もって労働組合のもとに団結し資本家に「賃金を上げろ」という要求を突きつけたたかおうではないか！

また、企業の生き残りに向けてすすめられる事業再編とそれにともなう配転・出向・転籍や「雇い止め」による首切りに断固として反対しよう！　安倍政権のおしすすめる労働諸法制の改悪に反対しよう！　そうした闘いのただなかで・かつそれをつうじて労働組合の強化をおしすすめ、「連合」の脱構築をかちとろう！　安倍政権の中東への自衛隊の派遣・日米核軍事同盟の強化・憲法改悪に反対しよう！　これらの任務を実現するために今二〇春闘を全力でたたかおう！

（二〇二〇年二月上旬）

ＪＥＣ連合労働貴族の春闘破壊を許すな

益田伸行

Ⅰ　労働者に犠牲をおしつけ国際競争力強化をめざす化学独占資本家

いま日本の化学独占体諸企業は、米中貿易戦争や中国経済の低迷による石油化学製品の需要の落ちこみに直面している。二〇二〇年三月期決算における売上高および利益の見通しの下方修正が相次いでいる。しかも新型コロナウイルス感染の拡大が化学諸企業の「業績悪化」に拍車をかけている。

こうしたなかで彼ら化学独占資本家どもは、企業の〝生き残り〟を賭して国際競争力の強化をはかるためにＭ＆Ａ（企業の合併・買収）をくりひろげ、リストラ諸施策をおしすすめることに狂奔している。彼らは、この過程において同時に、生産過程・流通機構・業務過程におけるＡＩ（人工知能）、ＩｏＴ（モノのインターネット）などのデジタル技術の活用に突進してもいる。これらの追求を、化学独占資本家どもは、労働者に首切り・配転やいっそうの労働強化を強いることによって、貫徹してきているのだ。

たとえば、三菱ケミカルＨＤの独占資本家は、高機能樹脂を使った部品の生産企業であるアメリカのＡＰＴ社（アドバンスド・ポリマー・テクノロジーズ）を子会社化し、高機能樹脂の販売拡大をはかってきている。国内においては、田辺三菱製薬を完全子会社化すると同時に、研究開発部門のデジタル化を推進するために、新たに先端技術・事業開発室を設置し、生産したマテリアル（素材）を効率的に販売するために、ＡＩ・ＩｏＴを活用することに躍起になっている。

住友化学の独占資本家は、リサイクル材料を用いたＰＰコンパウンド（ポリプロピレン化合物）製造の技術力をもつトルコの樹脂コンパウンド企業Ｅｍａｓプラスチックとその関連会社を子会社化した（ＥｍａｓグループはトルコＢ最大級のＰＰコンパウンド製造企業）。トルコは自動車や家電の生産拠点を擁し欧州への輸出拠点ともなっていることから、住友化学の独占資本家はＥｍａｓグループを傘下におさめることによって、欧米やアジア地域に向けたＰＰコンパウンド事業のさらなる拡大をはかろうとしているのだ。

化学独占資本家は、外国資本と競って〝ＩＴ人材〟を獲得するために、「職務」や「成果」に応じて賃金を支払う「ジョブ型雇用」の導入をはかっている。彼らは、金と時間のかかる企業内での「人材育成」では急速にすすむ現在のデジタル技術革新に対応できないと焦り、大学や公的機関に資金を提供して最先端の技術者育成を要請し、必要なとき、必要な技術者を確保し、技術が〝陳腐化した〟と判断した場合には、すぐに新しい技術者に首をすげ替えることを目論んでいるのだ。そして、それ以外の労働者については、賃金抑制と首切りリストラを徹底し、わずかに残っている年功序列型賃金・定期昇給制度や新卒一括採用・終身雇用制などの「日本型雇用システム」を最後的に一掃しようとしているのだ。

ところで、同時にこんにち、化学独占資本家にとって死活問題となっているのが、〝温室効果ガス問題〟と〝プラスチックごみ問題〟への対応である。化学産業は、全産業中で鉄鋼に次ぐ量のCO_2を排出(約六%)しており、CO_2排出量の大幅な削減を突きつけられている。また化学製品の多くはプラスチック化合物であり、このプラスチックごみ問題対策も早急に迫られているのだ。

彼ら化学独占資本家どもは、CO_2削減のために天然ガスへの転換をはかったり、CO_2を回収・貯蔵・利用する技術の開発に血まなこになっている。また、JaIME(海洋プラスチック問題対応協議会)なる団体をつくり、化学業界をあげてプラスチックごみ問題の情報を共有したり、政府・環境省への要請をおこなったりしている。

同時に彼らは、「持続可能な社会の実現に向けて、化学産業の果たす役割は大きい」などとほざきつつ、プラスチックごみ問題を新たな〝ビジネス・チャンス〟としてとらえ、新製品開発に血まなこになっているのだ。プラスチックごみ問題の〝解決策〟として、「3R」(リデュース(使用抑制)、リユース(再使用)、リサイクル」なるものの追求や「生分解プラスチック」の開発などに躍起になっているのだ。許しがたいことに、彼ら化学独占資本家は、これらの追求・開発のために多くの労働者をかりたて、労働強化と長時間労働を極限的に強いているのだ。

たとえば、JXTGホールディングスの資本家は、「持続可能な将来の成長領域」とみなした洋上風力や地熱などの再生可能エネルギー利用の大型化、台湾における洋上風力発電への参入を狙っている。

また、BASFジャパンの資本家は、「海洋環境保護活動の一環」としての「クリーンアップ活動」などと称して、茅ヶ崎サザンビーチにおいてプラスチックごみ拾いを労働者におこなわせて「企業イメージ」の向上をはかりながら、プラスチック廃棄物をガス化・油化して新製品を生みだすことに躍起になっているのだ。

そして、化学産業のなかにおいて、いま大幅な増収増益を続けている製薬業界の資本家どもは、「業績好調で余力のあるいまのうちに、社員の新陳代謝をはかる」だの「中・長期的経営を見すえて、事業構造改革に必要とされない人材を放出する」だのと言い放ち、どしどしと首切り攻撃をかけてきている。「史上最高益」をあげた協和キリンの資本家は、生産部門を除く四十五歳以上の労働者を対象にした「人数の制限なしの『早期退職』募集」という解雇攻撃を強行した。アステラス製薬の資本家は、「今は業績堅調でも、将来の市場環境を見すえた『先行型』の早期希望退職」を募る必要があるなどとうそぶき、「早期退職優遇制度」を振りかざして七〇〇人の首切り攻撃にうってでている。

まさしく化学独占資本家どもは、米・中激突など世界的な経済危機の深まりのもとで、企業の生き残りのために一切の犠牲を労働者に転嫁し、飽くなき利潤追求をはかろうとしているのだ。絶対に許すな！

「産業政策」提言にうつつをぬかすＪＥＣ連合指導部

ＪＥＣ連合指導部は、「化学・エネルギー関連産業が社会と共存し、持続可能で健全な発展に取り組む」などと叫び、化学独占資本家どもとの「化学産業の発展」のための労使協議と政府への「産業政策」提言にうつつをぬかしている。

ＪＥＣ連合の化学部会の労働貴族は、日本化学工業会などの資本家との労使協議を定例化し、石油部会の労働貴族は石油連盟や石油鉱業連盟の資本家との定例労使協議会を開催している。彼らは、化学独占資本家と「共通の課題」をめぐって「情報共有や意見交換」をしているという。

だが、化学独占資本家どもはいま、「持続可能な社会の実現」の名のもとに、Ｍ＆Ａやリストラ、生産過程や業務過程のＡＩ・ＩｏＴを活用した新たな技術化などに突進し、労働者の大量首切りを強行しているのであって、この資本家どもと「化学産業の健全な発展」のための労使協議に没入し、リストラ諸攻撃に屈服することを化学労働者に強要しているのがＪＥＣ連合指導部なのだ。

いまやＪＥＣ連合指導部は、ＵＡゼンセンの労働貴族と共同して、「環境課題に応える化学産業　〝持続可能な社会の実現に向けて〟」をテーマとしたシンポジウムを大学・研究機関、政府諸機関、企業の代表者を招いて開催しているほどである。まさに彼らは、化学独占資本家と一緒になって、もっぱら化学産業の行く末を案じているのだ。

彼らＪＥＣ連合指導部が政府・経済産業省に提言している「産業政策」とは、「ＩｏＴ投資の強化、生産性向上のための設備投資に対する税制上の優遇措置」や「ＣＯ$_2$の大規模処理技術の確立に向けた開発支援」などというものである。なんと、化学独占資本家と見紛うばかりではないか。

こうしたなかで化学戦線のわが革命的・戦闘的労働者は、化学独占資本家が地球環境保護などを掲げて推進している経営諸施策の階級的本質をあばきだし、首切りリストラ諸攻撃に反対する闘いを、「化学産業の健全な発展」のための労使協議に歪曲するＪＥＣ連合指導部の腐敗に抗して、職場生産点からつくりだすために、日々奮闘している。

Ⅱ　賃金の「上げ幅」要求の放棄を弾劾したたかおう！

ＪＥＣ連合指導部が二〇年一月十六日の中央委員会においてうちだした二〇春季生活闘争方針。その第一の特徴は、賃金の「上げ幅」要求を放棄したことだ。

彼らは、「賃金引上げ要求」と称して「年齢別ポイント基準の到達」を前面におしだした。この「ポイント基準の到達」というものは、なんら組合員全体の賃上げ要求ではないのだ。ＪＥＣ連合傘下の組合員の年齢別ポイント賃金の「中位数」なるものを「基準」として掲げ、この「基準」に達していない組合員についてのみ個別に賃上げを要求せよ、というものであり、組合員の賃金がすでに「基準」に達している労組は賃上げを控えろ、ということなのだ。

今春闘において「連合」指導部は「賃金水準」闘争などと言いだし、「上げ幅」要求を放棄する姿勢をあらわにした。これに追随することを宣言しているのがＪＥＣ連合指導部なのだ。

もはや春闘破壊といわずして何と言おうか。一九五五年にＪＥＣ連合の前身である合化労連、化学同盟をはじめ私鉄総連や全国金属など八単産による共同行動として開始された春闘。当時の合化労連委員長・太田薫が「暗い夜道を一人で歩くのは不安だ。みんなでお手々つないで進めば安心」と表現した統一闘争としての春闘。この開始から六十五年目にして、ＪＥＣ連合指導部みずからが春闘をぶっ壊すことを宣言したのである。

第二の特徴は、現場で横行しているいわゆる「ハラスメント」への対応を、もっぱら今年六月に施行される改定労働施策総合推進法に準拠することにきりちぢめていることである。

ＪＥＣ連合に加盟するほとんどの労組では、数多くの労働者が厳しい労務管理のもとで過酷な労働を強いられ、精神的にも肉体的にも追いつめられている。このことを基礎にして、職場管理職や同僚からのハラスメントが横行し、少なからぬ労働者がうつ病にまで陥っている。資本家がＡＩ・ＩｏＴなどのデジタル技術とデータ活用を急速にすすめ労働者をこき使おうとしているいま、これを許すならばハラスメントがますます増えるに違いない。

企業の発展を第一義としているＪＥＣ連合指導部は、この事態を資本家による労務管理の強化と長時間労働・労働強化の強制の問題からきりはなして、法律に準拠すべきことをもちだしているにすぎない。真正面からハラスメントを阻止する気などさらさらないのだ。

第三の特徴は、所定内労働時間と年間総実労働時間の短縮への取り組みを放棄したことだ。

ＪＥＣ連合指導部は、今春闘では所定内労働時間と年間総実労働時間の短縮への取り組みを「重点的取り組み」から「加盟組合が点検・検討するべき取り組み」に格下げした。「重点的取り組み」から除外したということは、彼らとしてはとりくまないということなのだ。化学独占資本家が生産性向上のために労働強化や超長時間労働を強いているなかで、さらにＡＩ・ＩｏＴを活用することに必死になっているいま、労働者にこれまで以上に過酷な労働を強制しようとしていることは明々白々である。

にもかかわらず、ＪＥＣ連合指導部は所定労働時間と年間総実労働時間の短縮への取り組みはしないというのだ。いや、このようなときだからこそ労働時間短縮要求を放棄したといえる。化学独占資本家が国際競争における危機をのりきるための諸施策の障害になる労働時間短縮には手を触れず、化学独占資本家に協力・加担しようとしているのだ。

ＪＥＣ連合指導部が以上のような反労働者的な方針を掲げるのは、彼らが身も心も「化学産業の発展のための労働運動」を求めているからにほかならない。すでに彼らは、昨一九年の定期大会において、基本理念を「化学・エネルギー関連産業が社会と共存し、持続可能で健全な発展に取り組む」というものに改訂し、「化学産業の発展のための労働運動」に純化してきているのである。

ＪＥＣ連合指導部は、化学労働者の雇用の安定確保や総合労働条件の維持・向上は〝企業の発展があってこそ成しうる〟と観念している。そうであるがゆえに彼らは、化学独占資本家とともに化学産業の行く末を案じ、独占資本家の化学産業・企業の生き残り策に全面協力する姿勢をむきだしにしているのだ。

一律大幅賃上げ獲得！　労働組合組織の戦闘的強化をかちとろう！

われわれは、ＪＥＣ連合指導部による春闘破壊を許さず、彼らの闘争放棄を弾劾し、二〇春闘を戦闘的にたたかおう！

第一に、賃金の「上げ幅」要求を放棄し、「年齢別ポイント基準の到達」要求を掲げたＪＥＣ連合指導部の反労働者性を暴露し、化学独占資本家の賃金抑制攻撃をはね返して、一律大幅賃上げをかちとろう！

第二に、「日本型雇用システム」の最後的一掃を企む化学資本家による雇用形態や賃金支払い形態の改悪を許さずたたかおう！

第三に、生産性向上を叫びＡＩ・ＩｏＴをも活用した諸施策で労働者にさらなる犠牲を強要している化学独占資本家に協力・加担するＪＥＣ連合指導部の反労働者性を暴露し、首切り・合理化攻撃に反対し、労働者への犠牲転嫁をはね返すためにたたかおう！

第四に、安倍政権による大衆収奪の強化に反対しよう！　「桜を見る会」問題、ＩＲ疑獄、東京高検検事長の定年延長問題等々の安倍政権の腐敗を弾劾しよう！

第五に、〈日本国軍の中東派兵反対！　日本の参戦を許すな！　日米新軍事同盟の強化反対！　辺野古新基地建設反対！　憲法改悪阻止！〉を今春闘のただなかで全力でたたかい、安倍政権を打倒しよう！

化学二〇春闘の戦闘的高揚を実現するただなかで、組合内左翼フラクションや革命的フラクションを強化・拡大し、このことを基礎にして労働組合組織の戦闘的強化をかちとろう！　ともにがんばろう！

（二〇二〇年三月四日）

ＮＴＴ労組指導部の超低額・格差拡大妥結を弾劾せよ

反町　勝

二〇二〇年三月十二日、ＮＴＴグループ経営陣は、ＮＴＴ労組中央本部および各企業本部（東会社・西会社・ドコモ・データなど主要八社の本部）にたいして「月例賃金改善」として、主要八社の正社員で「一人平均二〇〇〇円」、グループ子会社（主要八社の子会社）の正社員で「一人平均一八〇〇円」を回答した。無期および有期の契約社員にたいしてはまたしても「ゼロ回答」だ。この会社側回答を、中央本部および各企業本部は「妥結に値する水準」であると語ってただちに受け入れた。

だが、「昨年水準」といわれている主要八社の「二〇〇〇円」（率にして〇・五％程度）などというのは、実質賃金の切り下げをしか意味しない超低額のものではないか。しかも、この「二〇〇〇円」のうちの「七〇〇円」が社員資格等級に対応する「資格賃金（基準内賃金）」の改定に、「一三〇〇円」が業績評価によって決定される「成果手当」の改定にあてられるという。「資格賃金」の改定は、これまでは全資格等級で同額であった。ところが今回は、格付けに応じて上げ幅に差をつけるとされたのである。

今二〇春闘にさいして、経団連会長の中西宏明は、「一律・横並びの賃上げ」を拒絶し、「日本型雇用慣行の見直し」が今春闘の最大の課題だ、と叫んだ。これに呼応して、賃金引き上げを徹底的に抑制し、わずかばかりの基準内賃金の引き上げにも格差をつけたのがＮＴＴの経営陣である。この超低額でかつ「仕事・役割・貢献度」重視の賃金支払い形態をより徹底した回答を積極的に受け入れたのが同労組の労働貴族なのだ。

ＮＴＴ労組本部は今春闘にさいして、「中期経営戦略の具現化を含む今後の事業戦略に対応していくための『人財への投資』」を求める、と称してきた。まさにＮＴＴグループ事業の成長・発展に寄与するために労働者を企業の競争力強化・生産性向上にかりたててきたのだ。この中央本部・企業本部労働貴族の反労働者性をわれわれは徹底的に暴きだし、ＮＴＴ労組を戦闘的に強化するために奮闘しようではないか！

1　「資格賃金」の引き上げにも格差

「正社員」の資格賃金（基準内賃金）をこれまでは各等級同額で引き上げていたのを、格付け＝資格等級に応じて上げ幅に差をつけるとした会社回答（このような回答は今回がはじめて）を、ＮＴＴ労組の中央本部・各企業本部は全面的に受け入れた。

この主要八社正社員の「一人平均二〇〇〇円の改善」の内実は、次のようなものだ（企業ごと・雇用形態ごとの回答＝妥結結果は註1参照）。

「一人平均二〇〇〇円改善」なるものの内訳は、「資格賃金（基準内賃金）七〇〇円」＋「成果手当（基準外賃金）一三〇〇円」で構成されている。これまでは、「成果手当」についてのみ五段階の評価にもとづいて社員間に格差をつけていたのであり、「資格賃金」部分に相当する引き上げは同額であった。今回の会社回答は、「中期経営戦略の推進のため職場リーダー層・中堅社員に重点を置いた賃金改善を実施する」などという理由づけのもとに、「資格賃金」についても上位等級ほど改定額が高くなるように改定した。最低四一〇円から最高九〇〇〇円の引き上げ額としたのだ。また、「成果手当」部分の「一三〇〇円引き上げ」は、五段階評価のうち最低ランクの「I評価」ではゼロ円、最上位等級の「V評価」では三〇八〇円というように、引き上げ額に大幅な差をつけた。

このように格付け＝資格等級および成果業績にもとづいて、「仕事・役割・貢献度」をより重視するかたちで「賃金改善」なるものがおこなわれることにより社員間の賃金格差がますます拡大させられたのだ。

このような妥結結果について、ＮＴＴ労組中央本部委員長の喜井広明は、「会社側が英断したもの」「春闘相場が冷え込む中で、正社員の『昨年妥結水準』での決着は、組合員の期待に一定応えるとともに社会的役割を果たし得た」などとおしだした。喜井は、超低額妥結を「成果」と言いくるめ、資格賃金にも格差をつけたことについては一言も言及せず、妥結を自画自賛しているのだ。

西日本本部委員長の山縣芳彦は、「すべての組合員・社員に『新中期経営計画』の実現に向けチャレンジしてほしい。特に、事業戦略が『ビジネスモデル変革』していく中で、一人ひとりの業務への変化に対応してほしいとの〝メッセージ〟が込められている」などと言い放ち、経営陣の「英断」に応えてよりいっそう企業の発展のために尽くすべきと下部組合員に号令を発したのだ。

経営陣は、「仕事・役割・貢献度」重視の賃金支払い形態をより徹底し、これをテコとして「職場リーダー層・中堅社員層」の意識改革をうながし、生産性向上に労働者をかりたてようとしている。これにたいして、〝第二労務部〟として会社の経営施策を下支えすると忠誠を誓っているのがＮＴＴの労働貴族どもなのだ。

2　非正規雇用労働者への七年連続「ゼロ回答」を是認

今春闘においても、六十歳超え契約社員や無期・有期契約社員の「月例賃金改善」はまたもやゼロ回答であった。これをＮＴＴ労組の中央本部・企業本部は、「原要求にこだわらず妥結に値する処遇改善等により、『底上げ』を図った」などと称して受け入れたのだ。

ＮＴＴグループ全体では従業員の半数以上を占めるにいたっている多くの非正規雇用労働者、彼らの「月例賃金改善」について経営陣は七年連続の「ゼロ回答」を提示した。この許しがたい回答を、中央本部・企業本部の労働貴族どもは、「諸制度をトータルで捉えた労働条件改善」などとこじつけて受け入れたのだ。「各種手当改善」や特別手当への雀の涙ほどの「上積み」、さらには「同一労働・同一賃金」の名による「服務制度」の見直しと各種手当の見直し、これらをもって、「年収拡大につながり組合員の期待に応え得るもの」などと言いくるめ居直っているのだ。まったく許しがたいではないか！

ＮＴＴ労組中央本部の労働貴族どもは、昨一九年に続いて「すべての雇用形態で年間収入の二％程度の引き上げをめざす」という、月例賃金の引き上げにこだわらない＝軽視する春闘方針を提起してきた。彼らは、あらかじめ非正規雇用労働者の「月例賃金改善」を求めるつもりなどなく「処遇改善や諸手当等」で手打ちするという腹であったのだ。絶対に許せない。

昨秋に、消費税税率が引き上げられ、本年四月より諸生活用品の値上げが強行されることによって、実質賃金を引き下げられ、いっそうの生活苦を強いられているのが、とりわけ非正規雇用の労働者たちだ。

西本部委員長の山縣は、「今春（四月）には、無期社員等の多くを『エリア社員』（註2）として採用予定であり、『エリア社員』への採用によって無期・有期社員の賃金改善の課題は解決に向かう」などとうそぶいている。〝正社員へのチャレンジの機会〟が与えられたのだから、非正規雇用労働者の「賃金改善」が「ゼロ」でもかまわないではないか、と居直ったのだ。

「せめて人並みの生活を！」――この非正規雇用労

働者の悲痛な叫びは、労働貴族どもにはまったく聞こえていないのだ。

3 「NTTグループの発展」を最優先する本部労働貴族

会社経営陣は、今春闘の交渉過程で、①「中期経営戦略」を牽引していくことが求められる職場リーダー層・中堅層に重点を置いた賃金改善実施、②資格賃金については、上位等級ほど改定額が高くなるように改正、③成果手当は、Ⅱ評価以上を対象に、等級ごとに高評価査定された者に改定額が高くなるように改定する、との見解を示した。

この「社員」の資格賃金に「格差」をつけるとした会社見解を、中央本部・企業本部はなんら問題にせず、いやむしろ「NTTグループ事業を成長・発展させるため」の「人財への投資」を求めるという観点から賛美し、この考えにのっとって「具体的水準」（額）を示すように会社経営陣に求めたのだ。

NTTグループの多くの企業の賃金は、資格賃金・加給・成果手当で構成されている。西本部委員長の山縣は、「経験・スキルは資格賃金・加給へと反映され、成果・業績は加給・成果手当へと反映されていく」と経営陣の考えかたに肯定的にのっかって、「今春闘でも明確なメッセージを」と経営陣に求めた。労組の側から経営陣にたいして、個々の労働者が企業の発展のために寄与しているか否かを査定し、資格等級や査定にもとづいて「賃金改善」のしかたを決定してくださいと哀願したのだ。

さらに、「経営課題〔NTTグループ・各企業の経営施策にかかわること〕も〔春闘のひとつの課題として〕論議のテーブルに載せ」るように進言し、「企業が成長・発展していくために将来展望をみつめ、現在の課題にどう向き合うかが重要だ」と語ってきた。これこそは、NTT事業の競争力強化に向けた諸施策の実現に全面協力することを宣誓するものだ。こうした対応こそは、彼ら労働貴族どもが第一義に考えていることは「NTTグループ事業の成長・発展」であり、労働者の「生活の維持向上」

など眼中にないということを示しているではないか。

彼らは、「事業構造の転換に向けスピード感をもって対応していかなければならない」と語る。盤石な経営基盤の確立を最優先としているのであり、会社経営陣と危機感を共有し中期経営戦略の推進に全面協力していくことを宣言している。労働組合として「賃金改善要求」を会社経営陣の経営労務諸施策にそうかたちで位置づけなおし、春闘を企業の発展に寄与する「人事・賃金制度」や「生産性向上」のための〝働かせ方改革〟をめぐる労使協議・経営協議の場へと純化させているのだ。まさに春闘破壊に手を染めているのである。

「労使運命共同体」イデオロギーに骨の髄まで染まり、「ＮＴＴグループの事業の成長・発展」のために生産性をあげよと労働者に号令をかける中央本部・企業本部の労働貴族を断じて許してはならない。

4　生産性向上に全面協力する本部を許さず労組の戦闘的強化を！

ＮＴＴ経営陣は、企業の生き残りをかけ、日本独占諸資本総体の国際競争力向上に資するという〝使命感〟のもとに、情報通信分野におけるグローバル競争力を確保し、世界をリードするグローバル事業会社として国内外における収益拡大と新領域ビジネスの拡充・開拓をめざしている。従来の通信事業にとどまることなく、ＩｏＴ（モノのインターネット）・ビッグデータ・ＡＩ（人工知能）などのＩＣＴ最先端技術を活用しながら、あらゆる異業種企業（物流、健康福祉、教育、金融、エネルギー等々）との業務提携や協業を推進している。あらゆる産業を「スマート化」＝ＡＩなどを十全に活用したものとする「スマートワールド構想」なるものを成長戦略として掲げている。ＮＴＴ経営陣は、「第四次産業革命」において欧米・中国の諸企業に大きく水をあけられていることへの危機感と「日本再興」の〝使命感〟を共有するトヨタの経営陣とのあいだで、「スマートシティー構想」を実現するために資本提携しタッグを組んだのだ。

ＮＴＴ経営陣は、ＧＡＦＡ（グーグル、アップル、フェイスブック、アマゾン）などの米系ＩＣＴ独占体との熾烈な競争を勝ちぬくために、研究費に莫大な投資を計画し、研究・開発を担う高度ＩＣＴ技術者・研究者を獲得・育成するために、彼らを相応に処遇・優遇する人事制度を導入している。年間数千万円以上の高額な報酬で彼らの確保・つなぎ留めを図ろうとしている。そのためにも同時に、それ以外の大多数の労働者をこれまで以上に低賃金でこき使い使い捨てにしようとしているのだ。彼らに低賃金を強いるとともに人員を徹底的に削減するためにＮＴ Ｔ経営陣は、「国内でのデジタルトランスフォーメーション」なるものをおしすすめ、いわゆる定型的業務にＲＰＡ（ロボティック・プロセス・オートメーション）を導入し（ＮＴＴ版ＲＰＡたるWinActorで対応）、ＮＴＴの東西にまたがる業務については共同運営し、集約できる業務については業務プロセスのシステム統合をおしすすめている。

それにともない、設備運営や営業支援部門では、事務労働へのＩＣＴ機器の導入をとおして生産性の向上と人員削減をおしすすめると同時に、余剰とみなした労働者には、新領域ビジネス分野の開拓に果敢にチャレンジし付加価値を創造せよと号令をかけているのが、ＮＴＴ経営陣なのだ。そのためのスキルアップを労働者は求められ、さらなる生産性向上にかりたてられると同時に極限的な労働強化を強いられるのだ。それについていけない労働者には、広域配転・転籍を強要し、容赦ない首切りを強行してくるにちがいない。

ＮＴＴ経営陣の「中期経営戦略」の具体的推進を下支えするために、経営陣と一体となってＮＴＴグループの事業発展のための経営労務施策に全面協力し組合員を生産性向上にかりたてている中央本部・企業本部の労働貴族どもを断じて許してはならない。

われわれは、ＡＩの導入による「二十一世紀型の合理化」に反対し、人員削減・配置転換・労働強化を許さずたたかおう。

安倍政権の「改憲」攻撃に「国民的な憲法論議の促進」を掲げて棹さすＮＴＴ労組本部の抑圧に抗して、改憲阻止、辺野古新基地建設反対の闘いを職場から創造しよう。

この闘いのただなかでわれわれは、フラクション活動を強化し、組合内に種々の左翼フラクションをつくりだそう。つくりだしたフラクションを基礎に組合運動を左翼的に推進するとともに、わが革命的労働者組織の強化・拡大をかちとるために奮闘しよう！

註1　主な妥結内容

①主要八社の正社員：「平均二〇〇〇円の改善」（昨年と同額）――その内訳は、資格賃金に平均七〇〇円（昨一九年と同額）、成果手当に一人平均一三〇〇円相当分。

②グループ子会社採用社員：「平均一八〇〇円の改善」（昨年と同額）――その内訳は、資格賃金に平均六〇〇円、成果手当に平均一二〇〇円。

③五十歳退職再雇用社員：「平均一四〇〇円の改善」（昨年と同額）――その内訳は、資格賃金に平均四九〇円、成果手当に平均九一〇円。

④エリア社員（西日本グループ子会社）：「平均一四〇〇円の改善」――その内訳は、資格賃金に四九〇円、成果手当に平均九一〇円。

⑤六十歳超え契約社員：「月例賃金」の「改善」と称して、「成果給の改定」か「特別手当の評価反映額の改定」を提示――これを労組指導部は「一人平均一三五〇円の改善」と虚偽宣伝。

⑥無期契約社員・有期契約社員：基本賃金の改善は「ゼロ」。

（〈月例賃金〉のみ、〈特別手当〉については略）

註2　NTT西日本会社は、今二〇年四月より、新たな雇用制度である「エリア社員」制度を導入した。西日本グループ子会社においては、これまで有期・無期契約社員からキャリアアップすることで「グループ会社採用社員」として正社員への登用がなされてきた。しかし、この「グル採社員への登用」は下級職制となることが期待される者が対象とされ、数も限定されていた。今回の「エリア社員」制度の新設により、現場業務を担うより幅広い層を「正社員」として登用するという。この新設された「エリア社員」制度により、転居をともなわない現所在地からの通勤エリア内の移動を発令することが可能とされ、西日本グループ子会社間をまたがった移動も可能となった。「正社員」への登用と言ったとしても、賃金は低額におさえこんだままでありながら（西本体社員の七〇%、グル採社員の八〇%）、広域異動・グループ会社間をまたがった職種転換・転籍を強要しようとしているのであり、まさに〝名ばかり正社員〟としてこき使おうとしているのが西会社の経営陣なのだ。

日本製鉄呉製鉄所の閉鎖反対！

紅　研　吾

日本製鉄の企業経営陣は、二〇二〇年二月七日に労働組合が春闘要求を提出したその日にぶつけて、子会社・日鉄日新製鋼の呉製鉄所（広島県）の閉鎖を柱とした事業再編計画を発表した。日鉄経営陣は、〝春闘などやっている場合ではない〟〝労組は会社に全面協力せよ〟といわんがために、このタイミングで過去最大級の大リストラ計画を発表したのだ。

彼らは、「当社の生産能力は大きすぎる」「環境変化に応じて必要があれば次の施策を実行する」などと公言して、全国に分散してある十六拠点の製鉄所・製造所を六製鉄所グループに再編し、それを「最適生産体制」構築の名のもとにさらに縮小再編し、もってさしあたり一〇〇〇億円の収益改善効果を見こんでいるのだ。

独占資本家が子会社・日鉄日新製鋼の呉製鉄所を閉鎖することは、多くの労働者とその家族ばかりではなく、地域住民の生活までも根底から一挙に破壊する暴挙である。

われわれは、日本製鉄の独占資本家どもによる事業大再編の強行に全面協力する労働組合指導部を弾劾して、「呉製鉄所の閉鎖反対・労働者への犠牲転嫁反対」の闘いを職場生産点から断固として創造していくのでなければならない。

老朽化した過剰設備の休・廃止

いま日鉄日新製鋼の呉製鉄所ではリストラの嵐が激しく吹き荒れ、そこで働く労働者のあいだには大きな動揺と不安、そして怒りが渦巻いている。日本製鉄の企業経営陣が、三月期の連結最終損益が四四〇〇億円の大幅赤字になると公表して、わずかばかりの春闘要求を提出した労組役員に冷や水をぶっかけたからだけではない。地道に心血を注いできた職場である呉製鉄所のすべての生産設備を休止して閉鎖すると、彼らが居丈高に発表したからである。

日本製鉄が〝生き残る〟ために、二基の高炉を持つ銑鋼一貫製鉄所を〝さら地〟にしてしまうなどといった大リストラ計画の強行は、これまでに例のない暴挙である。地元・呉市や広島県の経済への影響に配慮して、二基ある高炉のうちの一基は残し、得意な製品製造分野に集約し特化しつつ銑鋼一貫製鉄所を存続するとしてきたこれまでの計画を一変させ、経営陣は競争力のない生産設備はさっぱりと潰して「競争力のある製鉄所を中心に」再編する強行策を選択したのだ。

製鉄所の構内では本工労働者九五〇人に下請け・協力会社の労働者も含めて約三三〇〇人が働いている。それればかりではない。広島県内だけでも一〇〇社を超える取引企業があり、呉市そのものが製鉄所の企業城下町なのだ。呉市の経済活動は根本から崩れ商店の多くは廃業に追いこまれ、街並み自体がすっかり変わってしまうにちがいない。

日本製鉄の独占資本家は、そんなことには容赦なく、地元の強い要望など「すべて更新するだけの経営資源がないのだ」とはねのけ、自治体や労働組合などに〝四の五の言わせない〟〝待ったなしだ〟とばかりに国内製鉄所の生産体制の再編にのりだしたのだ。〔すでに社内では、昨一九年八月三十日と三十一日に続けて呉製鉄所の第一製鋼工場で火災が発生したが特殊鋼薄板事業の中核設備なのに「〔復旧に〕急ぐ様子がないのでおかしいと思っていた」との声が現場の労働者からあがっている。新日鉄住金が日新製鋼を買収して子会社・日鉄日新製鋼にしたときからすでに、日新製鋼の強みであった特殊鋼やステンレスの事業分野をきりはなして呉製鉄所を潰してしまうことが準備されていたにちがいない。〔註1〕しかも、日鉄の資本家は、労働者の反発をおさえこむために、この大リストラにともなう配転や出向の具体的な計画の全容を、二月下旬になっても明らかにしようとはしていないのだ。

2月から休止した日鉄日新製鋼呉製鉄所の第2高炉（手前）
左奥の第1高炉のように白煙をあげる姿はなくなった

日鉄日新製鋼の呉製鉄所は、高炉一基の休止に続けてもう一基を二〇二一年九月に休止させ、二三年九月末までに全面閉鎖する。二基の高炉をもつ和歌山製鉄所でも一基を二二年九月末までに休止する。もともと予定していた八幡製鉄所（小倉地区）の高炉一基も、前倒しで二〇年九月に休止して、国内粗鋼の年間生産能力五四〇〇万トンのうちの五〇〇万トン（そのうち呉製鉄所三〇〇万トン）を減らす。そして「最適生産体制」の構築に向けて全製鉄所のラインの実力を評価して、呉での高炭素鋼の生産は八幡、和歌山、名古屋、鹿島に移管する。厚板の生産は、名古屋の厚板ラインを休止し鹿島、大分に集約する。電気亜鉛メッキについては、日新・堺のラインを休止して君津、広畑へと集約する。ブリキ材の生産は、広畑のラインを休止し八幡、名古屋に集約するというのだ。

独占資本家は、このようにして、過剰となった生産諸設備の大規模な処理とあわせて、一挙同時に製鉄所間で労働者の広域配転を強行しようとしている。こうすることによって、「長期蓄積型高技能」の熟練労働者不足を解消することをも目論んでいるのだ。「選択と集中」の名のもとに事業再編が強行されるならば本工労働者だけでも一六〇〇人が、協力会社や取引会社を含めるとはかりしれない数の労働者が、首切り・転籍・配転・出向などの攻撃にさらされるのである。

鉄鋼産業の構造的危機

日本製鉄の発表に続き、二月十二日にはＪＦＥスチールも、三月期純利益見通しを川崎製鉄と日本鋼管の経営統合（二〇〇三年）いらい最悪の減収減益となる一三〇億円（前年一六三五億円）と公表し、東日本製鉄所・京浜地区の冷延鋼板ラインと表面処理設備（家電や建材向け鋼板）だけでなく千葉地区のスチール缶向け鋼板（缶詰や飲料用）ラインも休止する計画を発表した。「数十億円の固定費削減効果」を狙って西日本製鉄所福山地区にそれらの生産を集約し、それにともなって本工労働者約三六〇人を配転させるとしているのだ。（注２）

鉄鋼の独占資本家どもは、「過去の危機とは違う。中国メーカーの存在感が極めて大きい」（日鉄副社長・右田彰雄）などと焦りに満ちた危機感を吐露している。彼らは二〇〇五年いこう十年以上にわたって、〝生き残り〟をかけ粗鋼生産量を引き上げることをめざして、高級鋼材だけではなく、「ボリュームゾーンでも勝負する」と汎用鋼材もあわせて生産規模の拡大とコスト削減の極大化をすすめてきた。だが、東日本大震災の復興特需も東京オリンピック特需もピークはすでに過ぎ、老朽化した生産諸設備の過剰がはっきりと顕在化しているのだ。

彼らはこれまで、「国際競争力強化」の名のもとに鉄鋼産業の労働者賃金を他産業の労働者と比較しても相対的に低く抑え、下請け企業への外注費も削減しつつ、フル操業下での新技術の開発と導入や老朽設備の更新工事に莫大な資金を注ぎこんできた。

だが、米中貿易摩擦（追加関税の応酬）の長期化、イギリスのEU離脱、さらには中東情勢の不安定化などによって、世界中のどこを見渡しても鉄鋼製品の消費需要は激減してしまっている。そればかりではない。世界の鉄鋼生産の約半分を占める中国の鉄鋼産業諸企業が、政府の景気刺激策を背景にして国内のインフラ向け鋼材などの生産を拡大し、鉄鉱石を買い占めているがゆえに原料価格は高止っている。そのような状況のもとで、自国に鉱山を有するインド・ロシア・トルコの鉄鋼企業からは、安価な鋼材が海外市場へ流れ出し鋼材市況を下落させているのだ。巨大な過剰生産設備・生産能力を抱えている中国から大量の鋼材が溢れ出し、低価格で輸出攻勢を強めてくるのも時間の問題である。

しかも、日本の鉄鋼産業の強みであった自動車向けなどの高級鋼材でも、韓国・ポスコ社や中国・宝武鋼鉄集団がＡＩ（人工知能）を活用した最新生産設備によって、強度や加工性などの品質面で追いあげてきている（データ集積やビッグデータの活用では「韓国のポスコの方が十年先をいっている」と言われている）。

さらに国内の鋼材消費需要においても、「一〇〇年に一度の変革期」に直面している自動車業界とのいわゆる「ひも付き価格」交渉は、自動車販売の世界的な低迷を理由に鋼材値上げが受け入れられず、営業収益の改善につながっていない。原料の全量を輸入して鉄鋼製品の四割を輸出に依存している日本の鉄鋼産業にとって、〝原料高・製品安〟の状態からの出口は見いだせなくなっているのだ。

こうしたことを背景にして一九年度の国内粗鋼生産量は、十年ぶりに一億トンの大台（〇七年の一億二〇二〇万トンがピーク）を割りこみ九九二八万トンにまで低迷している。さらに今後は、鋼材の輸出量が約四〇〇〇万トンから二〇〇〇万トンへと、国内需要は少子高齢化によって縮小し六〇〇〇万トンから四〇〇〇万トンにまで激減すると予想されているのだ。（註3）

労働者への犠牲転嫁を許すな

二〇一二年に新日本製鉄と住友金属工業が合併して新日鉄住金に、そして一七年には日新製鋼を買収して完全子会社化して粗鋼生産能力五四〇〇万トンの世界第三位の巨大鉄鋼企業を誕生させ、昨年の四月には社名までも変更した日本製鉄。これまでにも彼ら独占資本家は、韓国や中国の鉄鋼産業諸企業からの追い上げを怖れて、重複する過剰生産諸設備のうちの〝付加価値生産性が低い〟とみなした設備をつぎつぎと休止し、人員削減も極限までにすすめてきた。そのうえ鉄鉱石以外の副原料・資材・物流コストの増大に対応すると称して、コスト削減に向けて製造工程から物流・販売にいたるまでの組織再編・統合をすすめてもきた。だが、その〝代償〟として、人手不足によって設備の保守点検はおろそかになり、老朽化した生産設備でのトラブルや火災が相次ぎ、許しがたいことに労働災害までも続発させてきたのだ。にもかかわらず彼らは、今回のリストラ諸施策の強行によって、ますますそうしたリスクが労働者に増大するのを無視しているのである。

独占資本家による〝企業存亡〟の危機をのりきるための「将来を見据えた」事業大再編なるものの結末は、バブル崩壊後の「失われた三十年」を見れば歴然としているではないか。強行したリストラ諸施策が生みだす製造基盤の破綻は、「長期能力蓄積型産業」といわれる鉄鋼産業においてよりいっそう顕著に表れているのである。今回も彼らは、「雇用確保を最優先に考える。グループ内での製鉄所の配置転換が基本だ」などと言っている。だがこれまでも、労働生産性の最も高い生産ラインの操業方法を〝目標基準〟にするトップランナー方式によって、既存設備の稼働率を極限的に向上させるための危険なハイピッチ操業が常態化させられ、生産設備それ自身の能力オーバーによる設備トラブルや誤操作による操業トラブルを激発させてきたのであった。トラブル対処にかけつけた労働者がハイピッチ操業で時間に追われ不慣れな作業に手を出して転落や巻き込まれ等の労働災害にあい、死亡するケースまでもが後をたたないのだ（註４）。ましてや現在、製鉄所の労働現場では作業員の約半分が入社十年前後の若手で占められている。今回の事業大再編が暴力的に強行されるならば、技能継承が決定的に不足している・熟練工ではない彼らによる操業大トラブルの危険性は不可避的に増大するにちがいないのである。

広域配転を強制されることになる熟練労働者の場合はどうか。彼らは、自分が長年使い慣れた・勝手のわかる設備や機械、重機やクレーンなどの労働手段と統一されたところの熟練工なのである。たとえ労働対象が同じでも、異なる製鉄所に配転され・自分の持ち場が変わり・使い慣れない労働手段のもとでは、彼らは配属当初においてはまったくの〝新米〟でしかないのだ。しかも、熟練工といわれてきた五十歳以上の労働者が、生産性向上運動の真っただなかにある配転先の新しい職場で、年下の若蔵から仕事を教わることに抵抗感がないはずはない。はたしてどれだけの労働者が遠隔地配転に応じるのか。配転の強制は、彼らにとっては〝首切り〟以外のなにものでもないのだ。

労働組合指導部の裏切りに抗してたたかおう！

にもかかわらず許しがたいことに、労働組合指導部を牛耳っている鉄鋼の労働貴族どもは、「雇用の〝場〟は確保されている」などと言ってリストラ諸施策に全面協力を表明している。彼らは「この難局を乗り越え経営基盤を強くしなければ、働く者の将来生活は安定しない」などと組合員を恫喝し、飼い主たる経営陣には「難局を乗り切る原動力は現場力です。現場力を維持強化するための『人への投資』を」などと、労働者の味方ヅラをしたポーズをとりつつ、労働組合指導部としてのメンツを保つために〝春討〟にのぞんでいるのだ（註５）。われわれは、「魅力ある労働条件づくり」と「産業・企業の競争力強化」の好循環の創造を基本理念として〝生産性向上運動の実践〟を提唱している労働貴族どもを弾劾し、日本の鉄鋼独占資本家どもがいま振り下ろしている大リストラ攻撃に抗する闘いを、決意も新たに職場生産点から断固として創造していくのでなければならない。

註1　日本製鉄は特殊鋼の事業分野で、スウェーデンのオバコを買収し山陽特殊製鋼も連結子会社としただけではない。八幡と室蘭の上工程を強化し、そこに生産を集約していくとしている。そしてステンレス事業分野では、すでに新日鉄住金ステンレスと日新製鋼および旧新日鉄住金のステンレス鋼板事業を統合し、ステンレス薄板では国内シェア七割の日鉄ステンレスを一九年四月に発足させている。

註2　さらにJFEスチールは三月二十七日になって、二三年度をめどに東日本製鉄所・京浜地区（扇島）の高炉一基と上工程の関連諸設備のすべてを休止し、約一二〇〇人を西日本製鉄所（倉敷・福山）へと遠隔地配転すると発表した。

註3　鉄鋼大手の資本家どもは、国内粗鋼生産一億トンを大前提とし四〇〇〇万トン以上の鋼材輸出をあてこんで、一五年度からの三年間に続けてさらに一八年度からも三ヵ年の中期経営計画を策定してとりくんできた。日本製鉄では、「国内製造基盤の強化」にむけて製銑や製鋼工程の大型設備の改修や更新に年間四〇〇〇億円以上もの資金を投入し続けてきたのであった。設備投資に必要な巨額の資金を確保し捻出するために保有株や土地なども売却しつつ。

だがいまや、アベノミクスに踊らされた彼らの中期経営計画は完全に破綻した。彼らは、いまごろになってボヤいている。〝アベノミクスによる円高是正で鉄鋼業を取り巻く環境が好転し収益が改善したことで「本来の実力が見えなくなり、合理化が遅れた」（日鉄社長・橋本英二）〟などと。

註4　日本製鉄の製鉄所内で続発している労働災害は、公表されたものだけでも一八年が休業災害件数二〇件

・死亡者数三人であり、一九年も休業災害件数一八件

・死亡者数三人である。

註5　許しがたいことに鉄鋼大手各社の資本家どもは、三月十一日に賃上げゼロを回答した。「二年サイクル」の隔年春闘方式をとっている鉄鋼大手では、二〇年と二一年の二年間が「ベアゼロ」である。にもかかわらず鉄鋼の労働貴族どもは、これを「組合の要求趣旨については理解が示された」「会社は真摯な姿勢を示した」などと〝評価〟して、一発妥結してしまったのである。

郵政五年連続のベアゼロ妥結弾劾！一万人削減攻撃を粉砕せよ

高井戸　登

日本郵政経営陣は、ＪＰ労組本部が回答指定日とした二〇二〇年三月十二日、ベースアップ・ゼロ、期間雇用社員の時給引き上げゼロの回答をおこなった。経営陣は、「かんぽ問題」での事業危機を叫びたて、〝いまや賃上げなど求めているときではない〟と組合の要求を頭ごなしに否定し、五年連続のベア・ゼロ、一時金の据えおきを傲然と貫徹したのだ。それだけではない。新規採用をはじめとした要員の大幅削減を貫いた。また、「昇給制度等のあり方を労使で議論したい」などと、定期昇給をはじめとした昇給制度全般の見直しをも言い放ったのだ。

ＪＰ労組本部は、組合員の生活が厳しいことには一顧だにせず、経営陣の郵政事業にたいする危機感を共有し、〝とても賃上げどころではない〟とばかりに、ベア・ゼロを当然のこととして受け入れた。現状維持でしかない一時金四・三月を最大の成果としておしだしながら。

今二〇春闘において、経営陣は、郵政事業が直面している事業危機をのりきるために、労働者に一切の犠牲を転嫁することを傲然とつきつけたのだ。これにたいして完全に屈服し、経営陣への全面協力を誓ったのがＪＰ労組本部労働貴族どもにほかならない。

われわれは訴える。この労使一体となった画歴史的攻撃にたいしてすべてのたたかう郵政労働者は真っ向から反撃し、今こそＪＰ労組の戦闘的再生めざして決起せよ。

わが革命的・戦闘的労働者たちは、本部が、昨秋いらい唯一おしだしてきた一般職の処遇改善をも投げすて、賃上げ獲得を放棄しようとしていることを暴露し、大幅かつ一律の賃上げ獲得のためにたたかってきた。そして、春闘自粛の象徴として「春闘ＮＯＷ」を二号しか出していないことを暴露し、組合員に下からの闘いを強化することを訴えてきた。また、本部みずから提案した人事・給与制度の見直しが、主任以下の地域基幹職の大幅な賃下げになることを暴きだし、それに反対する闘いを強化してきた。

すべての郵政労働者は、ベア・ゼロ、人員削減、合理化推進を労使で確認した許しがたい春闘妥結を激しい怒りで弾劾し、これに反対する闘いを職場深部から創りだそう。「かんぽ問題」での事業危機を口実にした一万人人員削減攻撃を断固粉砕しよう。

1　経営陣のゼロ回答とＪＰ労組本部の積極的受け入れ

経営陣は、本部が要求した①一般職と初任賃金引き上げのための正社員の基準内賃金一人平均六〇〇〇円引き上げ、②正社員一時金年間四・五月、③非正規雇用社員の時間給四〇円引き上げ・一時金改善などの超低額要求にたいして、正社員のベースアップ・ゼロ、定期昇給の完全実施、一時金四・三月、非正規雇用社員の時間給引き上げゼロ、一時金の改善ゼロ、などの回答をした。

経営陣は、人件費を削減するために徹底的に人員を削減し、職場を欠員状態に落としこめている。また、超勤削減のために徹底的な労働強化を強制したうえで、さらなる生産性向上に労働者を駆りたてている。労働者をさんざんこき使って、この回答はなんだ。労働者は怒りにもえて、このゼロ回答を弾劾せよ。

しかも、経営陣の一時金四・三月支給の言い草はなんだ。「全社員一人ひとりが創業以来の最大の危機であるとの認識を共有し、愚直に、誠実に、謙虚にお客さまへ向きあい、グループの信頼回復のためのより一層の努力を期待し四・三月とする」などと経営陣は言い放ったのだ。何が「愚直に、誠実に、謙虚に」だ。はらわたが煮えくりかえるではないか。そもそも、「かんぽ問題」を招いたすべての責任は経営陣にある。高齢者をターゲットにした強引な経営方針とそれを実現するためのノルマ強制のデタラメな労務管理を労働者に強いたのは経営陣ではないか。このみずからの犯罪を完全に棚に上げ、労働者に責任をなすりつけるばかりか、一時金を据えおいてやったのだからもっとまじめに働けと居丈高に説教をたれているのだ。

だがＪＰ労組本部は、この許しがたいゼロ回答を、事業危機克服のためだと積極的に受け入れ一発妥結した。本部は、今春闘の取り組みにおいて、「かんぽ問題」の信頼回復をあらゆる場で宣伝し、春闘の自粛ムードをみずから演出し、諸集会の開催などの取り組みを放棄してきた。たたかう労働者の下からの突き上げによって、賃上げ要求を掲げたものの、はなから獲得する気はなかったのだ。本部は、「この極めて厳しい難局を乗り越えていくためにこそ、少なくとも一時金水準の維持を」などと、賃上げをあらかじめ放棄したうえで、組合員を事業危機突破のための経営改善と生産性向上にかりたてることを経営陣に誓約して、一時金の据えおきをお願いし妥結したのだ。本部はいう。「経営陣が誠意をもって検討した結果として決断した最終回答であり、この難局に社員とともに立ち向かい、乗り越えていきたいとのメッセージだ」と。経営陣を最大限賛美するとともに、組合員を動員して、労使一丸で事業危機を突破していく決意を披歴しているのが本部労働貴族どもだ。

本部は、地域最賃を下回る月給制契約社員の救済や郵便・物流計画担当の習熟度加算を成果としておしだしているが、そもそも賃金が圧倒的に低いことが問題ではないか。時給制契約社員の時給引き上げ、一時金改善についても、労働協約で定めているので「少なくとも賃金が下がることはない」などと、改善要求をみずから否定して、まともに交渉すらしなかったのだ。

いいかげんにしろ。本部の回答受け入れは、郵政労働者の生活実態をまったく無視しているではないか。五年連続のベア・ゼロで労働者の生活は困窮に叩きこまれている。しかも、長年にわたり、基本給と手当は引き下げられている。これに、消費税税率の一〇%への引き上げ、社会保障費の削減（給付削減と負担増）が追い討ちをかけているのだ。そして、欠員補充なしの超勤削減の強制によって、これまで以上の仕事をさせられたうえで、手当は削減されているのだ。五年連続ベア・ゼロ、一時金四・三月は、郵政労働者をさらなる貧窮に落としこむ賃下げ妥結でしかない。

経営陣は、二月十四日発表の第3四半期決算において、郵便物流部門で過去最高の一一九三億円の黒字を計上し、内部留保も公表されているだけで三兆八〇〇〇億円と、一年間で二四八九億円も上積みしている。そして、不動産・経営投資に一兆円をつぎこみ、株主には高額配当をばらまいている。これらすべては、労働者から搾り取ったものではないか。本部は、このことを意図的に無視して、事業財政の危機を経営陣と唱和し、ベア・ゼロを受け入れたうえで、組合員を事業危機突破のための生産性向上に経営陣と一緒になって駆りたてているのだ。

2 「一般職の賃金水準改善」要求を放棄した本部

本部は、今二〇春闘の賃金要求として、一般職は「主要民間企業と比して低い」だから「改善が必要」などと、一般職の処遇改善を前面におしだしてきたにもかかわらず、経営陣によるゼロ回答をあっさりと受け入れた。

このかんわれわれが暴きだしてきたように、本部の掲げた一般職の賃上げ要求なるものは、一般職以外のベア要求を抑えこむための口実でしかなかったのだ。そしてまた、一八・一九春闘において一般職員の諸手当の大幅削減を容認したことにたいする組合員の弾劾をかわすための組合官僚としての保身でしかなかったのだ。それゆえ本部は、経営陣に〝賃上げなどもってのほか〟と一喝され、ゼロ回答をいともやすやすと受け入れたのだ。一般職が強いられている生活不安や超低賃金にたいする怒りへの共感さえないではないか。

本部は一般職の要求獲得を投げすてただけではない。このことをごまかすために、業務関連や生活関連の諸手当をなくし・その分を基本給に上乗せするという提案をしたのだ。これでは額面上基本給が増えたとしても労働者が受けとる賃金は変わらず、一般職を超低賃金のまま固定化することになるではないか。あまりにも一般職をバカにしているではないか。本部の考えていることは、ベースアップ獲得を放棄したうえで、時間給に換算すれば郵政地域最賃を下回る場合があるという現在の一般職の基本給を数字上増えるかのようにみせかける詐術でしかない。本部のいう「地域基幹職等と一般職の賃金格差」是正とは、このようなことなのだ。

一般職の労働者は超低賃金のうえに、一八春闘での妥結によって住居手当や寒冷地手当などが廃止され、なおかつ社宅からも追い出され、ますます生活苦に追いやられている。一般職は、三十年間勤めても基本給は三万二七〇〇円しか上がらない。このような一般職の大幅な賃上げをかちとるために、断固としてたたかおうではないか。

3　「要員の安定確保」のインチキ性を暴きだせ

いま職場は、一万人を超える大量欠員状況に叩きこまれている。長時間労働・サービス残業が蔓延し、そのことが原因で交通事故・郵便事故も多発している。休憩・休息も取れずに、労働者は疲弊しきっているのだ。春闘にむけた組合員アンケートでも要員課題がトップになっている。組合員の下からの突き上げをうけて、本部は「要員の確保」を春闘要求の課題に組みこんだ。だが、本部は、欠員補充とは絶対にいわないのだ。本部は、「要員の安定確保」「新規採用の最大化」「正社員登用の最大化」といっているだけなのだ。

会社経営陣は、本部のこの極めて「控えめ」な要求にたいしてさえ、実に許しがたい回答をした。二〇二一年度の新規採用者——郵便・物流部門地域基幹職ゼロ、一般職二〇〇人、窓口部門地域基幹職四〇〇人、一般職一一〇〇人、渉外部門ゼロ、というものだ。郵政グループ全体でも、二〇五五人で昨年の四七六〇人の半分にも満たない。非正規雇用社員の正社員登用数も日本郵便二六〇〇人と昨年の三五〇〇人から激減している。大量欠員のなか職場で身の危険にさらされながらも働いている労働者をあまりにも愚弄しているではないか。しかも、一部経営陣は、これでも生ぬるいとばかりに、春闘妥結後ただちに、人員の配置基準の見直しによる一万人もの人員削減計画なるものをリークしたのだ。

だが、許しがたいのは本部の対応である。経営陣の回答になんらの抗議もせず撤回・積み増しを求めることなく、「必要な正社員は確保された」とスンナリと受け入れたのだ。郵便・物流でわずか二〇〇人というこの回答のどこが「採用の最大化」「必要数の確保」なのだ。冗談じゃない。

定年・勧奨退職に加え、超低賃金と極限的な労働強化ゆえに離職せざるをえない労働者が多数うみだされており、これまでの欠員に加えてさらに大幅な欠員になっている。にもかかわらず本部は、今年の新採についてもなんらの追加採用を求めなかった。それどころか本部は、「個別に検討して、七月を目途に決定したい」という経営陣の提案を受け入れた。このことは、本部が経営陣とのあいだで、徹底的な「効率化」による人員削減ののちに要員配置を検討すると合意したことを意味するのだ。

本部が要員削減に協力するのは、事業の危機を突破していくためには要員の削減が不可欠だと本部みずから考えているからだ。本部は、①事業の効率化による要員のリソースシフト、②ＡＩ（人工知能）、ＩｏＴ（モノのインターネット）など新たなＩＴ技術の導入、③郵便法改定（土曜休配等）などの諸施策によって業務運行は確保できると考えている。だがこれらの施策は、労働者に合理化、労働強化、人員削減、強制配転、生産性向上への強制をもたらすものでしかない。経営陣の意向にそって事業の構造改革と「要員のうみだし」を叫び、現場の増員要求を蹴とばし欠員状態を放置して、一万人人員削減の協議に突き進む本部を許すな。

4　人事・給与制度の大改悪を許すな

本部は、「同一労働同一賃金の本質的な実現」と称して、組合みずから「一般職と地域基幹職主任以下の賃金体系を同一にする」という提案を今春闘で経営陣におこない、今後、労使協議を継続的に開始することを確認した。この本部提案は、経営陣の意向を受けておこなっているものにほかならない。

一般職制度を導入した二〇一四年の人事・給与制度の見直しにおいても、本部は「がんばった者が報われる制度の確立」と称して、人事・給与制度の見直しを経営陣に提案した。一般職制度のスムーズな貫徹を企む経営陣の意を受けて、組合のほうから超低賃金の一般職制度の導入を提案したのが本部だ。彼らは、再び賃金・処遇のさらなる切り下げになる人事・給与制度の見直しを会社に要求するという犯罪をくりかえしているのだ。まったく許せないではないか。

経営陣は、春闘回答において「昇格制度等のあり方」「今日の状況に相応しい、労働力ポートフォリオ等のあり方」についても議論を始めたいとしている。これに応えて本部は「会社の基本的考え方を受け止め、社員区分、それにあわせた処遇のあり方、シンプルな給与体系など、労働力政策に関する協議を継続する」としている。経営陣のめざしているのは、定期昇給をはじめとした人事、給与、労働力政策全般の見直しなのだ。そしてその意味するものは、定型的な業務をおこなう低賃金の大多数の労働者と一部のエリート社員という社員区分とそれに応じた処遇を郵政の職場に導入することでしかない。そしてこれに全面的につき従っているのが本部だ。

本部と経営陣が合意した、労働者をさらなる低賃金におとしいれる人事・給与制度見直し協議を絶対に許すな。

5 〝郵政事業の救済〟を第一義とする本部を弾劾し闘おう

すべての郵政労働者諸君！ われわれ郵政労働者はまさに正念場に立たされている。今二〇春闘において経営陣は、五年連続のベア・ゼロを強要するとともに、新規採用の大削減を貫いた。今春闘における経営陣の回答こそは、郵政事業の危機をのりきるために、一切の犠牲を労働者に転嫁することの傲然たる宣言にほかならない。

郵政経営陣は郵政民営化以降、みずからの招いた諸施策の失敗を、労働者にたいする徹底的な犠牲転嫁によってのりきってきた。ＪＰＥＸ（宅配専門子会社）事業の大破産や四〇〇〇億円もの巨額損失をうみだしたトール社買収の失敗。郵政経営陣は、そのつど賃金の大幅削減、苛烈な労働強化、配転・首切りなどを労働者に強いてきた。そしていま経営陣は、「郵政事業最大の危機」なるものを叫びたて、一万人もの人員削減や定期昇給の見直しをも含めた人事・給与制度の大改悪、賃金のさらなる切り下げなどの一大攻撃を労働者にふり下ろそうとしているのだ。

にもかかわらずＪＰ労組本部の労働貴族どもは、「これまで以上に労使の意思疎通を密にし、職場の実態や問題点、課題認識の共有化をはかりつつ、労使が共に取り組みを進めていく必要がある」などと、経営陣にたいする全面的な協力を表明している。すべての労働者諸君、ＪＰ労組本部の裏切りを絶対に許すな！

わが革命的・戦闘的労働者たちは、二〇春闘のただなかで、本部がベア要求もベア獲得も放棄しようとしていることを暴露したたかってきた。また、一般職の処遇改善要求すらも投げすて、「本質的な格差是正」と称して、人事・給与制度の改悪に突き進んでいることを暴きだしてきた。事業救済のための経営協議へと春闘を歪曲する本部を許さず、二〇春闘の戦闘的高揚をかちとるべきことを訴え、職場から闘いを創りだしてきた。

本部が現場組合員を裏切りつづけるのは、組合員の労働条件や処遇以前に、会社の経営状況を第一義に考えているからだ。本部が人事・給与制度の改悪を経営陣になりかわって提案しているのは、総体的な「人件費」を下げないと、これからますます厳しくなる会社の事業運営をのりきっていけないと心配しているからだ。本部は、基本理念として「事業の成長による処遇の向上」という虚偽の考え方をふりまいてきた。本部の考えていることは〝事業の持続的成長のために労働者はボロボロになるまで我慢しつづけろ〟ということでしかない。労働組合の団結を強化することを基礎にして経営陣とたたかわないかぎり、労働者の諸々の権利を守り発展させることは決してできないのだ。

すべてのたたかう郵政労働者は、会社経営陣と本部によるベア・ゼロ一発妥結を怒りにもえて弾劾しよう。そして、経営陣による職場の実態を無視した新規採用の大幅な削減を許すな。日本郵便労働者にたいする一万人の人員削減攻撃をうちくだけ。賃上げの問題を格差是正問題に歪曲して、人事・給与制度の改悪を労組みずから進める本部を弾劾してたたかおう。

同時にわれわれは、かんぽ問題での大量処分に反対する闘いを創りだそう。経営陣は、すべての責任を労働者に転嫁して、処分による幕引きをはかろうとしている。このことを絶対に許すな。ＪＰ労組本部は、「お客さまからの信頼回復を最優先の課題」として、現場労働者の積年の苦悩にまったく向きあっていない。七年前の人事・給与制度見直しで、〝モチベーションを高める〟と称して、基本給を削減し募集手当の原資にすることを労使で合意したのは本部ではないか。経営陣に同調し、処分発令を当然のこととしている本部を許すな。

そしてわれわれは、「集配体制見直し」をはじめとした合理化諸施策が経営陣によって、矢継ぎ早にかけられていることに反対して、職場から反撃の闘いを断固として創造しよう。集配部門では、テレマティクスの導入やゆうパック部の廃止・集配部への組み込みの攻撃が、今まさにかけられている。これに反対する闘いを職場深部から創造しよう。

さらにわれわれは、安倍政権による憲法改悪阻止、自衛隊の中東派遣反対、日米核安保強化反対の闘いを、本部の沈黙を弾劾し大きく創りだしていこう。

われわれは、事業発展のための労使協議に埋没し労資一体化思想をますます深化させるＪＰ労組労働貴族の運動をのりこえ、ＪＰ労組運動の戦闘的強化をめざしてさらに奮闘しよう。一万人人員削減や合理化攻撃をはじめとする諸攻撃に反対する闘いを職場からさらに強力に推進していこう。この闘いのただなかで組合組織と組合員の戦闘的強化を実現するために奮闘しよう。ＪＰ労組の戦闘的再生をめざしてたたかおう。ともにがんばろう。

一九七三年九―十一月　ミッドウェー横須賀母港化阻止闘争

一九七三年の九月十六日、全学連は、前日に神奈川大学において社青同解放派に拉致され虐殺された全学連戦士金築寛・清水徹志両同志の遺影を掲げて横須賀現地に決起した。この闘いを突破口にして、全学連と戦闘的労働者は9・21、9・30、10・4―5と連続的に現地闘争に決起し、米空母ミッドウェー横須賀母港化阻止闘争の高揚をきりひらいた。

労働戦線においては、七〇〇〇名の青年労働者の結集をかちとった10・10現地闘争。さらにこの成果を総評青年協の全国動員による横須賀現地闘争にひきつぐべく奮闘したわが仲間たちの闘いは、総評青年協議会主催による「ミッドウェー横須賀母港化阻止・反基地・年末闘争勝利11・25全国青年労働者総決起集会」として結実した。この日、動労二〇〇〇名の大部隊を先頭にして、国労・全逓・全金・全電通・全国一般など一万余名の青年労働者が横須賀臨海公園に総結集し、社・共既成指導部の議会主義的腐敗の深まりのゆえにもたらされた日本階級闘争の危機をくつがえす闘いの突破口をきりひらいたのである。

全学連が横須賀現地で入港阻止闘争を牽引　10・4—5

アメリカ第七艦隊の主力・攻撃型空母ミッドウェーの入港が二十数時間後にせまった七三年十月四日夕刻、全学連は現地横須賀で「ミッドウェー母港化阻止」の前段的闘いに決起した。

「入港阻止！　母港化粉砕！」のかけ声も高く、横須賀本港をはさんでアメリカ軍基地と対峙する位置にある臨海公園に、「Z」と大書きした白ヘルメット一〇〇〇名の大部隊が姿をあらわした。数多くの報道機関のカメラのライトを浴びて全学連の勇姿がくっきりとうかびあがり、臨海公園は緊迫感に包まれた。横須賀市民も全学連の集会をとりまき、発言に熱い拍手を送る。一〇〇〇名の機動隊の凶暴な弾圧をはねかえして戦闘的なデモで横須賀市内を席巻したわが隊列には、「がんばれよ！」の声もとびかった。明日の入港阻止闘争にむけて、たたかう学生たちの闘志はいやがうえにも高まった。

そして、いよいよ入港当日の五日午前十時半に、全学連の先発隊五〇〇名が臨海公園に結集した。どんよりと曇った横須賀市街を、一〇〇本の赤旗を先頭にしたデモ隊は、アメリカ帝国主義と日本政府への怒りのシュプレヒコールをたたきつけ、二名の不当逮捕をはねかえしてデモを貫徹した。

この闘争中の午後二時二十五分に、ベトナム人民の血を吸った空母ミッドウェーが、その黒い巨体をゆっくりと横須賀港にあらわし、横須賀基地六号ドックに接岸した。全学連の学生たちは「入港弾劾！　安保粉砕！」の

権力の集中弾圧に抗して戦闘的にたたかう全学連
（73年10月４日、横須賀）

ミッドウェー入港時に唯一決起した全学連（73年10月５日、横須賀）

シュプレヒコールに切りかえ、既成左翼およびいっさいの小ブル諸派が闘争放棄をきめこんだことに象徴的にしめされているミッドウェー母港化阻止闘争の危機を突破すべくたたかいぬいた。

　午後六時からの社会党・総評系反安保実行委員会主催の「安保廃棄・反基地・反自衛隊闘争強化・ミッドウェー母港化反対」集会に参加するべく、本隊が合流して一〇〇〇名にふくれあがった全学連部隊は、四時に再び臨海公園に結集し、前段独自集会を開催した。

　この場にはアメリカ軍の弾薬庫を撤去させるための運動をすすめている「池子市民の会」の代表もかけつけ、「全学連の闘いに感激しました」「全学連の第一波闘争にも参加していました」と発言。たたかう学生たちの士気は、ますます高まった。さらに五時すぎには鉄輪旗を林立させた動力車労組三〇〇名の白ヘル部隊が到着した。反戦青年委員会の労働者と全学連は、雨が降りしきる公園内いっぱいのデモをもって動労の部隊を迎えいれ、たたかうエールを交換しあった。たたかう労働者・学生は六時からの本集会においても、主催者の社会党や総評ダラ幹たちの諸発言――「核をもっているかどうか、立ち入り調査ができるよう国会で追及する」とか「核の装備がもしあったら日本に入れない声明を政府に出させる」

とかのそれ――をゴウゴウたる野次で弾劾し、集会に結集した七〇〇〇名の労働者に「母港化阻止！　基地撤去！」の反戦・反安保闘争への決起を呼びかける檄を飛ばしてたたかったのである。

さあ、デモ出発だ。主催者・民間共闘・公労協とつづ

総評青年協の闘いの先頭にたつ動労（10・10、横須賀基地ゲート前）

き、全学連は最後尾だ。公園を出て国道16号を道幅いっぱいに広がってジグザグ・デモをくりひろげる。全学連の隊列が本町二丁目交差点にさしかかる手前から、機動隊がいっせいに並進規制に入った。米軍基地ゲートに入る道路の前には装甲車がズラリと並び、乱闘服で身を固めた機動隊がびっしりと道の前に立ち並びジュラルミンの大楯で壁を築いている。交差点を左に曲がれば基地ゲートだ。

ヨコ五列のデモ隊最前列が空足を踏みながら体を後ろに倒して隊列を締めはじめた。〝基地ゲートに突入するぞ！〟の意志が、あうんの呼吸で隊列全体に伝わる。隊列前後が体をぴったりと密着させ、横のスクラムを組み直す。

ヨシ！　いくぞ！　ガガガーン！　最前列のヘルメットが激しく音をたてる。デモ隊はジュラルミンの壁をグイグイと押しまくる。指揮が乱れた機動隊は混乱し阻止線が崩れ、白ヘルと機動隊の紺ヘルが入り乱れて騒然となる。「部隊、巻きこまれるな！　退け、退け！」とヒステリックに叫びをあげる指揮車。ガードレールに押しつけられ、わがデモ隊の下敷きになって悲鳴をあげる機動隊員。紺ヘルが宙を舞い、ジュラルミンの楯が歩道に投げ飛ばされる。応援にかけつけた機動隊は狂乱化し、

楯の水平打ちでわが隊列に襲いかかる。デモ隊は大きな渦を巻いて、いったん隊列を16号道路の右側に寄せ、ワッショイ！　ワッショイ！　のかけ声にあわせて広い国道に直角に隊列を整え、もう一度阻止線への正面突破を試みる。

国道16号の基地ゲート前交差点は黒山の人だかりだ。あらん限りの暴行を受け血を流しながらも果敢にデモを続ける全学連に、沿道の市民からは「学生ガンバレ！負けるな！」「機動隊は弾圧をやめろ！」と大声の声援がとぶ。両側の建物の窓からは市民が鈴なりに体をのり出して注視している。

三〇〇〇人の警視庁・神奈川県警機動隊の弾圧は全学連に集中した。だが学生たちは、ずぶぬれになり血と汗にまみれながらも、この日の闘いを先頭で牽引した自信と誇りに満ちて意気軒昂とたたかいぬいたのである。

万余の青年労働者が軍港の街を席巻
10・10、11・25

十月十日、総評青年協の主催する横須賀臨海公園での母港化阻止統一行動には、全関東六〇〇〇名の青年労働者が結集した。

総評青年協の運動を機能停止に追いこむために陰湿な妨害をくりかえしてきた既成左翼指導部とりわけ社青同協会（向坂）派の敵対。これを、わが労働戦線の先進的仲間たちは、各県評青婦協や各単産青年部内における下からのつきあげの闘いをつうじてうち砕き、青年労働者の一大決起の場としてかちとったのだ。わが戦闘的労働者・学生たちは、スパイ集団・社青同解放派を挑発者として活用した国家権力の全学連にたいする異常な弾圧のエスカレート（別掲の補を参照）と、動労青年部の隊列にたいする青解派の武装襲撃をはねかえして、戦闘的にたたかいぬいた。

さらに総評青年協は、十一月七日の全国単産青年部会議において、ミッドウェー母港化粉砕の11・25現地闘争を全国動員でたたかうことを決定した。前年七二年の自衛隊の沖縄派遣阻止10・28北熊本闘争（本誌第三〇六号の本シリーズを参照）につづく二度目の全国結集である。この闘いは、わが革命的・戦闘的な労働者の組合深部における奮闘を基礎として実現された、総評青年協の全国各ブロックにおける反戦・反基地闘争の前進を総集約するかたちでとりくまれたのだ。

11・25闘争当日、会場の臨海公園は早朝から闘いの熱気に包まれた。貸し切りの〝反戦列車〟を仕立てて結集した関西と東海の青年労働者一千余名が七時に到着し、会場内デモンストレーションを開始。同時刻に、10・10闘争において動労部隊への武装襲撃をあえてした社青同解放派に断固として自己批判を要求し自己批判しない場合は入場を許さない決意で、強固な防衛体制を築いた。

この頃、午前六時四十九分に、わが全学連の行動隊は、警察権力の手先となってこの日の集会に敵対するためにのみ結集していた青解派の労学ダンゴ部隊一五〇余名を、横浜駅の横須賀線ホーム上で的確に捕捉し、彼らの武装敵対を未然に粉砕した。こうして、10・10闘争と同様に青解派を挑発者として利用するかたちで全学連や戦闘的諸労組への弾圧をしかけようとした警察権力のもくろみは、全学連の奮闘によって未然にふせぎとめられたのである。

午後一時半。会場を埋めつくす一万余名の労働者・学生が結集するなかで全体集会が開始された。「寒さが身にしみるのは田中内閣のインフレ政策のせいです」などという平和ボケした社民ダラ幹の来賓あいさつが満場の失笑をかったのち、基調報告、つづいて各単産の決意表明に移った。国労代表の発言には「反戦闘争が一言も出てこないぞ」「11・25を妨害したのは誰だ！」と野次が集中し発言はかき消されてしまった。海を越えてはるばる参加した沖縄の労働者が、ミッドウェーの横須賀母港化と結びついてすすめられている沖縄米軍基地の再編強化に反対する闘いが前進していることを報告し、沖縄県労協青年協の正式承認をかちとって結集していることを報告すると、熱い共感が広がり、いやがうえにも熱気が盛りあがった。

動労青年部の力強い閉会宣言で集会を終え、ただちにデモに移った。中四国・関西ブロックを先頭に、青年労働者たちのジグザグデモが長蛇をなして市街にくりだし、軍港の街・横須賀は労働者的な闘いの熱気の嵐に包みこまれた。とりわけ動労二〇〇〇名の白ヘル部隊は、鉄輪旗をはためかせる三〇〇名の旗竿部隊を先頭に、一糸乱れぬ果敢なデモを展開。沿道の市民から驚嘆と感激の拍手を浴びた。

最後にデモに躍り出た全学連八〇〇名と反戦青年委員会五〇〇名の隊列に、「10・10型」弾圧を未然に粉砕された神奈川県警の機動隊は、階級的憎悪をむきだしにして襲いかかった。左右からやみくもに打ち下ろされるジュラルミンの楯、水平打ちの乱打。先に基地ゲート前に到着していた動労の部隊が「全学連への弾圧をやめろ！」

11・25闘争を牽引する動力車労組のデモ隊と全学連の部隊（後方）

「全学連と連帯してたたかうぞ！」とシュプレヒコールをくりかえす。

次々と負傷者を出し指揮者を奪われながらも、意気あがる労学の白ヘル部隊はグイグイと機動隊を押しまくり、随所で機動隊を翻弄しながら、終始戦闘的にデモを貫徹したのだ。

六九年十一月の佐藤訪米阻止闘争において、動力車青年部二〇〇〇名の白ヘル・ナッパ服姿の大部隊が単独で全国結集の現地闘争をたたかってから三年後。わが革命的・戦闘的労働者たちは、既成の労働運動をその内側からのりこえる苦難にみちた闘いをつみ重ねてきた。ミッドウェー入港阻止闘争を完全に放棄した日本共産党の底なしの議会主義的腐敗の深まりを弾劾しつつ、不断のフラクション創造の苦闘を基礎にして労働運動を左翼的に展開し、またこれをつうじて労働組合組織を強化し、同時に青年労働者組織の力を拡大してきたわが仲間たち。

こうして総評労働運動の内部にガッチリと根をはった〝革命のヒドラ〟は、今や反戦・反基地の闘いを労働組合として全国的規模でとりくむことができる質を獲得するところにまで成長したのだ。

この革命的左翼の強大化を基礎にした青年協運動の力づよい前進こそが、労働戦線統一民間単産連絡会議の解散をかちとり（七月十三日）、七〇年代初頭における労働戦線の帝国主義的再編策動を粉砕した本質的力にほかならない。そしてこの力は、七五年十一月二十六日からのスト権奪還を掲げた公労協の二〇〇時間ストライキへ、とりわけこの大闘争を牽引した国労・動労の闘いへと発展しつつひきつがれていくのである。

日共の「住民生活擁護」運動をのりこえ安保破棄めざしたたかう

ミッドウェー母港化阻止の反戦・反基地闘争の一大高揚は、わが革マル派と革命的左翼の奮闘によってはじめてきりひらかれた、といって過言ではない。この根拠の一つは、いうまでもなく、われわれが提起した情勢分析ならびに闘争＝組織戦術の革命性にある。

すなわち、七三年七月三十一日にもたれた日米首脳会談において、アメリカ大統領ニクソンと日本の首相・田中角栄は、「インドシナ半島と朝鮮半島の平和と安定の確保」のために「日米の緊密な協力関係を維持する」という名のもとに、横須賀のアメリカ軍基地を、アメリカ第七艦隊の攻撃型空母ミッドウェーの母港とすることに合意した。「今後、日本および極東地域以外の国にたいする米軍の活動のために在日米軍基地が使用される可能性がある」とか「極東とは、極東の安全のために在日米軍がとりうる行動範囲のことである」とかの日米両権力者の言辞は、日米共同作戦地域を事実上アジア全域に拡大することの宣言であり、実際にはベトナム侵略の出撃拠点として在日米軍基地を機能させようとする悪辣な意図をアケスケに語ったものであった。

アメリカ権力者は、インドシナ沖からインド洋を結びつけるかたちで、インド海域の制海権確保を狙うところまで強化されたソ連太平洋艦隊の展開に対抗し、これを封じこめるために、西太平洋を主要な管轄海域とする第七艦隊の極東における戦略的拠点として横須賀基地を再編し、もって核兵器搭載艦・空母ミッドウェーを中心とする各艦艇の西太平洋海域への常時居座りを可能とする体制を構築しようとしていた。同時に、関東周辺の在日米軍基地機能を横田基地に集中・統合し、横田をアメリカ空軍の中枢基地として再編成しながら、空軍にかんしては横田・三沢・嘉手納、陸軍にかんしては座間・相模原、海兵隊にかんしては岩国・沖縄、海軍は佐世保・横須賀というように、日本全土の米軍基地機能を一挙的に再編・統合しようとしていたのである。

他方、日本帝国主義国家・田中角栄政府は、このアメリカ権力者の要請＝「防衛分担の肩代わり」を積極的に担い、日米共同作戦体制を高度化するために、自衛隊の沖縄配備、相模補給廠などへの自衛隊移駐とその共同使用をすすめ、北海道長沼・八雲基地、能勢基地へのナイキ・ミサイル基地の設置をはかった。日本支配階級は、西太平洋・インド洋全域へと作戦行動海域を拡大するアメリカ軍との共同作戦を担うというかたちをとって、同時に日本帝国主義のアジアの盟主としての飛躍をかちとり、自衛隊を帝国主義軍隊として確立することを狙っていた。ミッドウェーの横須賀母港化の攻撃は、これらの攻撃の中軸をなすものとしてふりおろされたのである。

わが同盟は、このような日米両権力者の動向を、六九年の日米共同声明によって本質的に強化した日米軍事同盟を、欺瞞的な「ベトナム和平協定の締結」(七三年一月二十七日)をめぐってはげしく転回する東アジア情勢の現実にふまえて現実的に強化する攻撃の開始としてとらえかえした。そして、このような動向が、本質的に強化された日米軍事同盟の実体的支柱をなす種々の軍事基地・施設や部隊・兵力を強化しようとする攻撃をなす、という意味内容において、これを「日米軍事同盟体制の現実的強化」と規定した。

われわれは、このように攻撃の構造を的確に分析したことにふまえて、ミッドウェー母港化阻止の闘いを、日共の「基地被害」に反対する「住民生活擁護」運動や社会党の護憲カンパニアへの歪曲をのりこえつつ、まさに日米軍事同盟体制の現実的強化そのものに反対する闘いとしてたたかう、という方向性を明確にしたのである。

そして、ミッドウェー母港化の攻撃が、ほかならぬ日米安保条約を国際法的根拠としていることを不断にあばきだし、たちあがった労働者・学生・市民に基地撤去・安保破棄の自覚をうながし、彼らをわが隊列に強固に組織しつつ基地撤去・安保破棄をめざしてたたかう、という真に革命的な方向性を明らかにしてたたかったのである。

このようにしてミッドウェー母港化阻止の闘いの高揚をきりひらいてきたわが革命的左翼の闘いは、「ポスト七〇年安保」三年目の日本階級闘争において、きわめて重要な意義をもっていたといえる。

アメリカ政府が「五日午後二時から三時の間のミッドウェー横須賀入港」を日本政府に正式通告し、決戦的な時を迎えていた時点において、それにもかかわらず入港阻止を掲げて闘いをくりひろげたのは、じつにわが全学連の部隊を除いては文字通り皆無であった。過去の空母エンタープライズ佐世保入港阻止闘争(六八年)や原潜入港阻止闘争(六四年)においてもかつてなかったようなこの現実こそは、社・共既成指導部に指導された日本階級闘争の危機の深さを如実に映しだしていたのである。全学連の10・5ミッドウェー入港阻止闘争を突破口にして、わが革命的左翼は10・10、11・25の大闘争を最先頭できりひらいたのだ。

入港時の闘争を完全に放棄したのが社会党・共産党の既成左翼指導部であった。そもそも、七二年十一月に横須賀「革新」市長・長野正義が「たかが空母一隻がたまにたち寄るだけ」などと発言し「母港化」を容認しただけでなく、市議会では「母港化反対決議」を否決してしまったのだ。「革新自治体」をタテにすれば相模原闘争のような住民闘争が高揚するのではないかと夢想していた彼ら既成指導部は、ここで完全に展望喪失に陥り、七三年七月の横須賀市長選で長野が落選していごは、空母ミッドウェーの母港化攻撃に対決し平和運動を組織化することを端(はな)から放棄してきたのだ。

とりわけ日共は、「基地災害」から「住民の生活を擁護する」と称して、「基地撤去」後の「跡地の利用計画」の作成に腐心していたにすぎない。

そもそも「ベトナム和平協定の調印」を手放しで美化したのが彼らであった。このように、感覚が完全に「平和ボケ」していたがゆえに、彼らは横須賀闘争にとりくむバネをそもそも喪失していたのだ。それだけではない。彼らは日米軍事同盟体制の現実的強化の攻撃を、その結果現象のひとつにすぎない「住民の基地被害」の問題に絞りあげ、「住民の生活擁護」のための政策カンパニア=集票へといっさいを解消したのだ。それは、七〇年七月に「民主連合政府綱領」を決定していご、いっさいの運動を民主連合政府樹立のための議席拡大に従属させる議会主義的腐敗を徹底化してきたことにもとづいていたのだ。

とりわけ、ミッドウェー母港化阻止闘争が白熱点を迎えようとしていた矢先の九月十一日に、チリのアジェンデ人民連合政権（社共政権）がピノチェトのクーデタにより倒壊したことは、代々木官僚を震撼させた。彼らは「民主連合政府は社会主義をめざすものではない」という自己保身まるだしの弁明に汲々とし、折からイタリア共産党のベルリンゲルが「キリスト教民主党との歴史的妥協」路線を提唱(十月八日)したことにのっかって、公明党を「革新統一戦線」にまきこむ追求に精をだしていたのだ。公認左翼の横須賀闘争へのとりくみはこのように、過去に前例をみないほどの破産をさらけだしていた。この危機を根底からくつがえすために、終始一貫して母港化阻止闘争を牽引したのが、わが反スターリン主義革命的左翼であった。かの入港当日の現実は、そして10・10と11・25の闘争の大高揚は、既成左翼に指導された日本階級闘争の危機の深さとともに、それを真に突破しつつ闘いをきりひらいているのが誰であるかを、くっきりと浮きぼりにしたのである。

補　青解派を挑発者とする神奈川県警の凶暴な弾圧を粉砕

ミッドウェー母港化阻止闘争のとりくみにおいて特筆すべきことのひとつは、10・10闘争において神奈川県警が敷いた前代未聞の異常な弾圧体制であった。

県警は反革マル狂乱集団と化した社青同解放派を、その指導部にもぐりこませたスパイ分子をつうじて操りつつ、「内ゲバ回避」を口実にして、全学連を会場から排除することを画策した。この策謀を事前に察知した全学連は、当日早朝から迅速な行動を開始し、八時すぎには関西の部隊一〇〇余名が臨海公園に入って待機し、本隊一〇〇〇名も汐入駅に到着した。

ところが、なんと神奈川県警は、この全学連本隊を機動隊で包囲して入場を阻止しただけではなく、後から横須賀駅に現われた青解派部隊を臨海公園に誘導して入場させた。しかも機動隊はすでに会場内にいた全学連関西共闘の部隊に襲いかかり、五キロメートル以上も離れた大津公園に暴力的に連行し、こともあろうに夕刻の青年協デモの解散時間まで拘束しつづけたのである。

それだけではない。青年協集会が開始されるやいなや、権力によって公園内に導き入れられていた青解派部隊一〇〇名が、動労一〇〇〇名の部隊に背後から竹竿で襲撃を加えたのだ。このため、動労組合員および反戦の労働者三名が重軽傷を負い、二名が海に突き落とされたのである。

警察権力のこのような従来になかったきわめて凶暴で謀略的な弾圧は、この時点の日本階級闘争を象徴するものでもあった。

すなわち、9・16闘争いらい、社共・総評の闘争放棄を突きやぶってたたかわれた戦闘的労働者と全学連の横須賀闘争の爆発。この闘いが、労働戦線深部における革命的・戦闘的労働者の組織的闘いを基礎にして10・10の総評青年協主催の七〇〇〇名の労学の大闘争へと結実した。この成果がさらに全国動員の闘いと総評青年協の正式発足へと実を結んだのであった。このような革命的左翼の労働戦線内部における組織的前進にたいして、既成左翼とくに協会向坂派は危機意識を増大させ、これにもとづいて反革マル派策動にあけくれた。このような既成左翼の敵対策動に乗じて国家権力は、破産し崩壊寸前の社青同解放派をスパイ集団としてからめとりつつ挑発者として活用し、青年協運動とこれを担う戦闘的労働者およびこれと連帯してたたかう全学連にたいして、未曽有の謀略的弾圧攻撃をしかけてきたのである。

このような新たな形態の弾圧攻撃は、今日からとらえかえすならば、翌七四年六月に開始される〈内ゲバを装った謀略襲撃〉という革命的左翼破壊攻撃の萌芽をなしたものといえるであろう。

革命的左翼は、狂暴化した国家権力の弾圧策動を、労学連携した緻密かつ大胆な闘いによって未然に封じこめつつ、総評青年協を主体とした全国結集の大闘争としてミッドウェー母港化阻止の闘いの高揚をきりひらいたのだ。

弾崎隆一

〈シリーズ　わが革命的反戦闘争の歴史〉掲載一覧

・60年安保闘争　闘いの高揚と挫折——ブント主義をいかにのりこえたのか?　三宅深海（第二九〇号）
・米・ソ核実験反対闘争　その1　62年8月6日モスクワ「赤の広場」デモ　野辺山進（同）
・米・ソ核実験反対闘争　その2　国際学連大会にのりこみ中・ソ学生官僚と大論戦　野辺山進（同）

・米・ソ核実験反対闘争 その3 原水禁運動の破産を宣告し全国に闘いの炎　初島厳太郎（同）
・米・ソ核実験反対闘争 その4 左右の偏向を克服するための思想闘争　初島厳太郎（第二九一号）
・キューバ危機をめぐる思想的対立と分裂　仁科郷介（同）
・63―65年 日韓会談―条約締結阻止闘争　榊舞太郎／長浜精一（第二九二号）
・65年 ベトナム反戦闘争の創造　市井直司（同）
・反戦青年委員会を換骨奪胎する闘い　長浜精一（同）
・67年 砂川基地拡張阻止闘争　真地五朗（第二九五号）
・67年 4・28沖縄闘争　小机朝子（第二九六号）
・68年 安保＝沖縄闘争　小机朝子（同）
・67年 10―11月羽田闘争　長浜精一（同）
・68年1月 エンタープライズ佐世保寄港阻止闘争　高森市蔵（第二九八号）
・68年2―4月 米軍王子野戦病院反対闘争　高森市蔵（同）
・68年10月 新宿米軍タンク車輸送阻止闘争　初島厳太郎（同）
・69年「B52撤去」2・4沖縄ゼネスト　霧島武／霞張三（第三〇〇号）
・69年8月 本土―沖縄を結ぶ渡航制限撤廃闘争　霞張三（同）
・69年 安保＝沖縄闘争を牽引　山川鮎太（第三〇一号）
・70年安保闘争の高揚を切り拓く　山川鮎太（第三〇二号）
・71年沖縄返還協定粉砕闘争 その1 沖縄全島をゆるがした5・19ゼネスト　荻堂克二（第三〇三号）
・71年沖縄返還協定粉砕闘争 その2 首都で燃えあがった調印・批准阻止闘争　水俣四郎（第三〇三号）
・72年3―4月 沖縄全軍労無期限ストライキ　霞張三（第三〇四号）
・72年4―6月 動力車労組の反戦順法闘争　古鶴武士（第三〇五号）
・72年8―11月 相模原闘争 三ヵ月の激闘　谷川涼太（第三〇六号）
・72年10・28 総評青年協北熊本闘争　水俣四郎（同）
・73年9―11月 ミッドウェー横須賀母港化阻止闘争　弾崎隆一（第三〇七号）

国際・国内の階級情勢と革命的左翼の闘いの記録（二〇二〇年二月〜三月）

国際情勢

2・1 アラブ連盟外相緊急会合で米大統領トランプの「中東和平」案を拒否する共同声明

2・2 アフリカ東部で数億匹のバッタが発生し食糧危機、ソマリア政府が国家非常事態を宣言

2・3 **中国国家主席・習近平が新型肺炎感染拡大を「有事」と強調、自己の情報隠蔽をごまかし地方官僚の責任追及を指示。** 当局の公表前に新型肺炎の危険性を訴え処分された武漢の医師・李文亮が死亡（7日）

▽香港病院労組が中国本土との境界封鎖を求めてスト

▽シリア・イドリブ県でアサド政府軍が反体制派支援のトルコ軍を攻撃、トルコ軍が同県内54ヵ所に反撃

2・4 米大統領トランプが一般教書演説で「偉大な米国の復活」を叫び経済政策の実績を強調

▽米国防総省が小型核搭載の潜水艦発射弾道ミサイルを海軍に実戦配備と発表

2・5 米上院のトランプ弾劾裁判で無罪評決

2・10 トランプ政権が21会計年度予算教書を議会に提出、「核兵器近代化」に前年比20％増の289億ドル

▽中国空軍が台湾周辺で大訓練、戦略爆撃機轟6、戦闘機殲11、駆逐艦など参加。台湾側にも侵入（9日〜）。米特殊作戦機MC130Jが台湾海峡上空を南下、台湾東側の空域を戦略爆撃機B52が2機南下（12日）

▽独キリスト教民主同盟党首クランプカレンバウアーがチューリンゲン州首相選挙での極右AfDとの協力の責任を問われ辞任表明

国内情勢

2・2 **安倍政権が海上自衛隊護衛艦「たかなみ」の中東派遣を強行。** 26日から活動を開始

2・7 毎月勤労統計で19年の月平均名目賃金が前年比0・3％減、6年ぶりに減少

2・9 政府の情報収集衛星8機目「光学7号機」打ちあげ。北朝鮮監視など事実上の軍事衛星

2・10 **東京高等検察庁検事長・黒川弘務の定年延長問題**で法相・森雅子が野党から「検察官は国家公務員法定年条項が適用されない」という人事院の解釈との矛盾を追及され「その解釈は知らなかった」。人事院給与局長は「解釈を変えていない」（12日）。首相・安倍が「今般、解釈を変更した」と答弁（13日）。人事院局長は「自分の言い間違い」とごまかす（19日）

2・16 政府が初の「新型コロナ感染症対策本部」会合。環境・文部科学・法務の3相は欠席

2・17 19年10〜12月のGDP速報値で実質成長率が年率で6・3％減

▽国会審議で、「桜を見る会」前夜祭の明細書はないという安倍の答弁の虚偽がANAホテル側書面回答で明白に。安倍は書類提出を拒否

2・18 新型コロナ肺炎対策で横浜港に停泊中のクルーズ船での厚生労働省のずさんな対応を専門医が批判。厚労副大臣が恫喝し反論目的で船内写真を公開するも批判通りの実態の自

革命的左翼の闘い

2・1 琉球大学学生会と沖縄国際大学学生自治会が「辺野古県民大行動」（キャンプシュワブ・ゲート前）に決起。800名の労働者・市民の先頭で土砂搬入阻止の座り込み闘争を土砂搬入用ゲート前で貫徹し、県民集会（第1ゲート前）で奮闘。わが同盟が情宣

2・2 **首都圏・東海・関西の全学連の学生が海上自衛隊護衛艦「たかなみ」の中東出撃阻止の横須賀現地闘争に起つ。** 白ヘル部隊が海自総監部へデモで進撃、150メートル先の「たかなみ」に向けて「アメリカのイラン軍事攻撃反対・日本の参戦阻止」のシュプレヒコール

▽全学連北海道地方共闘会議と反戦青年委員会が「たかなみ」中東出撃阻止に起つ（札幌市）。横須賀現地闘争と連帯し、自民党北海道道連に怒りの拳を叩きつける

▽金沢大学共通教育学生自治会が「自衛隊の中東派遣反対！緊急集会」（金沢市）に決起。「たかなみ」出撃に反対し労働者・市民200名余とともに金沢市街をデモ

2・11 世界保健機関（WHO）が新型コロナウイルスの疾病を「COVID－19」と命名
▽フィリピン政府が議員のビザが米にとり消されたことに対抗し米比地位協定の破棄を米政府に通告
2・13 習近平政権が新型肺炎拡大の責任で湖北省と武漢市の両共産党委書記を解任
▽米司法省がファーウェイと最高財務責任者・孟晩舟を北朝鮮やイランとの取引隠蔽を理由に追起訴
2・14 米中貿易協議「第一段階合意」が発効、両政府が相互に制裁・報復関税の一部を引き下げ。中国が米国製品696品目の制裁関税を1年間免除に（18日）
▽ミュンヘン安保会議で仏大統領マクロンが欧州独自防衛力の強化を訴える演説
2・16 中共の理論誌『求是』で「習近平が新型肺炎対策を指示した時期は1月7日だった」と歴史の偽造
2・17 アラブ首長国連邦で原発を認可、アラブで初
2・18 アフガニスタン大統領選（19年9月）の最終結果で現職ガニが再選、次点のアブドラが抗議し新政府樹立を宣言。ガニの新大統領就任式を延期（25日）
2・20 米ワシントン連邦地裁がトランプの元選挙顧問ストーンにロシア疑惑偽証で禁固3年4ヵ月の判決
2・21 イラン国会議員選挙で対米強硬派が大勝
2・22 南スーダンで政府と反政府勢力が参加する統一暫定政府が発足、3年間の移行期間後に選挙実施
2・23 韓国大統領・文在寅が政府の新型肺炎警戒レベルを最高に引き上げ。国会・裁判所を閉鎖（24日）
2・24 **中国で全国人民代表大会の延期を決定**
▽マレーシア首相マハティールが辞任。野党が支援の元首相ムヒディンが首相に（29日）

己暴露となり削除
2・19 クルーズ船乗客の下船開始、公共交通機関での帰宅を許可。その後下船の乗客から感染者続出。700名を超える乗客・乗員が感染
▽大阪地方裁判所が森友学園の籠池泰典に詐欺罪で懲役5年の実刑判決。籠池は控訴（27日）
2・21 19年12月実質賃金、前年同月比1・1％減
2・23 各種世論調査で内閣支持率急落。『産経新聞』で支持率36・2％、不支持率は46・7％
2・24 **政府の新型肺炎対策専門家会議が「急速な感染拡大の危機、完全防御は困難」と見解**
2・25 **政府が新型肺炎対策の「基本方針」決定、イベント中止などの判断は国民にゲタ預け**
2・26 原子力規制委員会が東北電力女川原発2号機再稼働のための安全審査で合格と決定
▽北海道教育委員会が27日から全小中学校を休校にすると決定。28日に北海道知事・鈴木直道が緊急事態を宣言、週末外出自粛を要請
2・27 **安倍が突如全国の小中高校一律に3月2日からの臨時休校を要請。文科省が正式に通知（28日）。教育現場や保護者の職場が大混乱**
▽野党が検事長定年延長問題で答弁が二転三転する法相・森への不信任決議案、与党が否決
2・28 来日した中共政治局員・楊潔篪と安倍が会談し習近平訪日や新型肺炎対策を協議
3・3 広島地検が前法相・河井克行夫妻の秘書ら3人を公選法違反容疑で逮捕。24日に妻の参議院議員・河井案里の公設秘書ら2名起訴、

2・8 鹿児島大学共通教育学生自治会が日出生台米軍実弾砲撃演習のための車両・物資陸揚げ阻止闘争に起つ。大分港大在埠頭前で550名の労組員とともに米軍車列を迎え撃つ
2・9 **20春闘勝利・改憲阻止・労働者怒りの総決起集会（東京）を全国の革命的・戦闘的労働者1300名で盛大に実現。**春闘を「人事・賃金制度」をめぐる労使協議に歪曲する「連合」指導部を弾劾し20春闘の戦闘的高揚の指針と改憲阻止の指針をうち固める。第1基調報告「『連合』指導部の春闘破壊を許さず闘おう」と第2基調報告「中東派兵を許すな！ 核安保強化反対！」を提起。わが同盟代表が挨拶。民間、郵政、教育、交運の各戦線から闘いの報告
2・20 琉大学生会と沖国大自治会が「辺野古新基地建設阻止！ 座り込み集中行動」で奮闘。300名の労働者・市民とともにキャンプシュワブ工事用ゲート前で座り込み、埋め立て資材搬入を7時間にわたって阻止。琉大のたたかう学生が発言に立ち「日米核安保反対・安倍政権打倒」を訴える
2・26 沖縄のたたかう労働者・人民が辺野古への土砂搬出阻止「連続5日大行動」（名護市安和桟橋）に決起。カヌ

▽トランプが初訪印し首相モディと会談。30億ドルの武器輸出など合意、貿易協定では対立（25日）
2・27 シリア・イドリブで政府軍がトルコ軍を空爆し33人死亡、トルコ軍の反撃で政府軍45人死亡（28日）
2・29 米政府とアフガンのタリバンが和平合意に署名
3・2 イスラエルで1年間で3度目の総選挙、ネタニヤフのリクード党が過半数に届かず。大統領リブリンが最大野党「青と白」のガンツに組閣を要請（16日）。ガンツがネタニヤフ政権に参加し連立へ（26日）
▽北朝鮮が短距離飛翔体2発発射。短距離弾道ミサイル数発発射（9日）。同型2発を日本海へ向け発射（21日）。「超大型放射砲」発射（29日）
3・3 **米大統領選民主党指名候補争いで14州の予備選、バイデンが10州でトップに。3州でも圧勝**（17日）
3・5 プーチン・エルドアン会談（モスクワ）でシリア軍とトルコ軍の6月からの停戦開始を合意
3・6 OPECプラスの協議でサウジアラビアが追加減産を提唱するもロシアが拒否
3・7 **全世界の新型肺炎感染者が10万人を超える。アメリカ8州で非常事態宣言**（8日）
3・11 **WHOが新型肺炎の「パンデミック」を宣言**
▽ロシア大統領の任期を2期までとする制限に「これまでの任期を算入しない」条項を含む改憲法案を議決。憲法裁判所が改憲法案を合憲と判断（16日）。4月22日に予定の全国投票が延期に（25日）
▽米軍駐留のイラク・タージの基地にロケット弾、米兵2人、英兵1人死亡。米軍がイラクのシーア派組織「カタイブ・ヒズボラ」の5つの拠点を空爆（12日）

連座制の対象として「百日裁判」を申し立て
3・4 政府がJR常磐線双葉駅周辺など福島県双葉町一部地域の避難指示を解除
3・5 **中国・習近平の4月訪日延期を決定**
▽政府が感染症対策として中国・韓国からの入国者の自宅や宿泊先での14日間待機要請の方針を決定、韓国が反発し「相応の措置」を宣言
3・9 株価が一時2万円割れ、1ドル＝101円台に
3・11 **20春闘集中回答日。トヨタ・鉄鋼三社など大手のベアゼロ回答が相次ぐ**
3・13 **新型肺炎対応で緊急事態宣言を可能にする改定新型インフルエンザ等対策特措法成立**
▽**日経平均株価が1万7000円割れ、3年4ヵ月ぶり。下落幅は30年来の大きさ**
3・14 関西電力金品受領問題の第三者委員会が最終報告。受領者75人、受領総額3億6000万円、ただし「刑事訴追は困難」
3・16 九州電力川内原発1号機が「テロ対策施設の完成が間に合わない」と運転停止
▽日銀がETF（株価指数連動型上場投資信託）購入ペースを年12兆円に倍増
3・17 自民党大会に代わる両院議員総会で安倍が改憲に全力を尽くすと強調、幹事長・二階俊博が「こんな時に改憲を言うのは不適当」
▽日銀が米ドル323億ドルを金融機関に供給する公開市場操作を初めて実施
3・18 **森友学園への国有地不当廉売問題で公文書改竄を強制され自殺した近畿財務局職員の妻が国と元財務省理財局長・佐川宣寿を大阪**

ーチームが大型運搬船に肉迫し1時間にわたり搬出を阻止。安和桟橋ゲート前でもトラック入構阻止行動。沖縄県反戦の労働者が「辺野古への核ミサイル持ちこみを許すな」と呼びかける。本部町・塩川港でも労働者・市民がトラック入構を阻止
3・19 沖縄県学連が土砂搬入実力阻止の辺野古現地闘争に勇躍決起。軟弱地盤のある大浦湾の埋め立て設計変更の申請を許さず埋め立て強行を阻止するためにキャンプシュワブ工事用ゲート前で座り込み、生コン車・土砂満載トラック50台を阻止。第一ゲート前の抗議集会で沖国大のたたかう学生が発言し日米安保条約破棄を訴える
〔わが同盟が安倍政権の新型コロナ対策の反人民性を暴き弾劾する論文を機関紙『解放』紙上で連続的に発表。「反人民性をむきだしにする安倍政権を今こそ打倒せよ」（第2609号）、「新型肺炎対策で反人民性を露わにする安倍政権を許すな」（第2610号）、「新型肺炎蔓延下での労働者・人民への犠牲転嫁を許すな！」（第26

3・12 ニューヨークダウ工業株が2万1200ドルに急落、前日比2352ドル安の下げ幅過去最大

▽中国外務省副報道局長・趙立堅が新型コロナウイルスは「米軍が武漢に持ちこんだかもしれない」とツイート。トランプがツイッターに「中国ウイルス」と書きこみ(16日)、中国政府が「強烈に憤慨」(17日)

3・13 **トランプが「国家非常事態」を宣言、500億ドルの予算で医療・検査体制の強化をうちだす。新型肺炎感染が全米50州に拡大**(17日)。トランプが「戦時」と強調、「国防生産法」を発動(18日)

3・15 米FRBがゼロ金利の復活を決定。米国債や住宅ローン担保証券の無制限買入の緊急措置(23日)

3・17 EU首脳会議で新型肺炎対策をめぐり第三国からのEU入域を30日間禁止と合意

3・18 **原油価格1バレル=20ドルに、18年ぶりの安値**

▽欧州中央銀行が90兆円の資金供給を決定

3・19 米軍がハワイで極超音速兵器の発射実験

3・23 **ニューヨーク市場で株価1万9000ドル割れ**

▽イラン大統領ロウハニが新型肺炎感染拡大で米に経済制裁解除を要求

3・25 アフガン政府とタリバンが相互捕虜解放で合意。政府側は合意を実施せずと発表(30日)

▽トランプが2・2兆ドルの経済対策法案に署名

3・31 **世界で感染者80万人を突破、アメリカが最多で16・5万人超、イタリアが感染者10万人超、世界の死者数3万7840人**

▽ポンペオがベネズエラ与野党による「移行政権」樹立の枠組みを公表、マドゥロは即座に拒否

地裁に提訴。安倍と財務相・麻生太郎は国会でかさねて再調査を否定(23日)

3・19 新型肺炎対策の政府専門家会議が「オーバーシュートの恐れ」と警告

▽「共同交戦能力(CEC)システム」初搭載の新型イージス艦「まや」が横須賀に配備

3・22 安倍が防衛大学校卒業式で憲法への自衛隊明記を強調する訓示

3・24 **安倍がIOC会長バッハと電話で協議し東京五輪の一年程度延期で合意**

3・25 都知事・小池が新型ウイルス感染で「感染爆発の重大局面」と発表、外出自粛を要請

3・26 **日共委員長・志位和夫が「野党連合政権にのぞむ基本的立場」で自衛隊は「合憲」、安保条約を「維持・継続」と明記**

▽辺野古移設をめぐり国土交通相が取り消した沖縄県の「埋め立て承認撤回」の効力回復を求めた訴訟で最高裁が県の上告を棄却

▽陸上自衛隊がオスプレイを運用する輸送航空隊を木更津に、12式地対艦ミサイル(SSM)部隊を宮古島にそれぞれ新設

3・27 20年度予算が成立、8年連続で過去最大となる102兆6580億円

3・30 政府が国連に提出する30年までの温室効果ガス排出削減目標を据えおくことを決定

3・31 「高年齢者雇用安定法」等改定案が成立

▽総務省が携帯電話会社とIT大手に感染症対策のためのビッグデータの提供を要請

11号)、「新型肺炎の全世界的流行下での労働者人民への犠牲強要反対!」(第2612号)」

『新世紀』バックナンバー

No.306 2020年5月	No.305 2020年3月	No.304 2020年1月	No.303 2019年11月
安倍の新型コロナ対策の反人民性 無為無策の安倍政権／〈反安倍政権〉の闘いに起て／苦闘する医療労働者／情報統制に狂奔する習近平／決裂したCOP25／日共の綱領改定／20春闘の勝利をかちとれ／2・9労働者集会基調報告／郵政春闘／72年相模原・北熊本闘争	**今こそ反スタ運動の雄飛を！** 米のイラン攻撃阻止・日本の中東派兵阻止／軍国主義帝国の最後のあがき／香港人民への武力弾圧弾劾／中国「建国70年」式典／給特法撤廃／日米貿易協定／福島原発核燃料デブリ取出し／原発「共同事業化」／72年動労反戦順法闘争	**サウジ石油施設攻撃事件の意味** 改憲阻止・反安保の爆発を／香港警察の弾圧弾劾／消費税増税／台風被災民見殺し／日共「野党連合政権」構想批判／戦後謀略と日共の犯罪／教員の「働き方改革」／MMTの幻夢／ゲノム編集／黒田思想をわがものに／72年全軍労スト	**香港人民への武力弾圧を許すな** 国際反戦集会基調報告／改憲・ペルシャ湾派兵阻止／日韓GSOMIA破棄／「徴用工」強制の犯罪／かんぽ「不適切販売」／郵政65歳定年制／「介護の生産性向上」の号令／『資本論』―マルクスのパトス／71年沖縄返還協定粉砕闘争

新 世 紀　第307号（隔月刊）

日本革命的共産主義者同盟 革命的マルクス主義派 機関誌©

発行日　2020年 6 月 10 日

発行所　解 放 社

〒162-0041　東京都新宿区早稲田鶴巻町 525-3
電話 03-3207-1261　　振替 00190-6-742836
URL http://www.jrcl.org/

発売元　有限会社 K K 書 房

〒162-0041　東京都新宿区早稲田鶴巻町 525-5-101
電話 03-5292-1210　　振替 00180-7-146431
URL http://www.kk-shobo.co.jp/

ＩＳＢＮ 978-4-89989-307-3　C0030